GIBRAT
Le Vol du corbeau

Édition intégrale

AIRE LIBRE

Grand merci à mon père, à André Juillard, Alain Dodier, Pascal Montel, Bernard Puchulu et au capitaine de frégate Bruno Clergue.

À ma petite famille...

... et quelques petits messages pour certaines personnes dont l'amitié et les précieux conseils ont su me redonner confiance.

J.-P. G.

Cette édition définitive du Vol du corbeau est accompagnée d'une sélection d'études graphiques de Jean-Pierre Gibrat.

Cet ouvrage bénéficie d'un tirage de tête numéroté de 1 à 777 exemplaires.
Il est enrichi d'un dessin inédit, signé par l'auteur et imprimé sur du Rives Shetland blanc Naturel 250 g.

GIBRAT
Le Vol du corbeau

Postface de Jackie Berroyer

AIRE LIBRE

7

CURIEUX QUE LE COMMISSAIRE NE M'AIT PAS DÉJÀ BALANCÉE AUX ALLEMANDS...

...IL A L'AIR PÉTOCHARD... CE N'EST PAS PLUS RASSURANT... LES CHIENS QUI MORDENT SONT LES CHIENS PEUREUX !

ALORS, MADEMOISELLE, MAL DORMI J'ESPÈRE !

PARCE QUE MOI, VOTRE PETITE AFFAIRE M'A GÂCHÉ LE SOMMEIL.

VOUS ME POSEZ UN PROBLÈME, MADEMOISELLE !...

UN GROS PROBLÈME !...

ET TOUT ÇA POUR UNE PETITE LETTRE ANONYME !

IL PARAÎT QUE LES FRANÇAIS LISENT PEU...

EN TOUT CAS, DEPUIS LE DÉBUT DE L'OCCUPATION, ILS ONT RETROUVÉ LE GOÛT DE L'ÉCRITURE.

2

VOUS AVEZ ÉTÉ DÉNONCÉE PAR UN LITTÉRAIRE, C'EST PAS SI FRÉQUENT !

JE VOUS LIS JUSTE LA FIN, C'EST PRESQUE POIGNANT.

LES LETTRES DE DÉNONCIATION ARRIVENT PAR BROUETTES AU COMMISSARIAT !..., MAIS LA VÔTRE SORT DU LOT, ELLE A SON CHARME !

"... MONSIEUR LE COMMISSAIRE, CETTE PETITE DÉMARCHE DÉLATRICE NE ME GRANDIT PAS ET JE RISQUE, COMME LE DUC DE GUICHE, DE RESSENTIR AU SEUIL DU TOMBEAU CES "MILLE PETITS DÉGOÛTS DE SOI DONT LE TOTAL NE FAIT PAS UN REMORDS MAIS UNE GÊNE OBSCURE". LA LUTTE CONTRE LE MARCHÉ NOIR EST MALHEUREUSEMENT À CE PRIX !

AH ! MADEMOISELLE, J'AVOUE QUE J'AURAIS PRÉFÉRÉ TROUVER CHEZ VOUS DES SAUCISSONS OU DU FROMAGE PLUTÔT QU'UNE MUSETTE DE GRENADES ET TROIS REVOLVERS !...

SANS PARLER DES FAUX PAPIERS ET AUTRES CARTES D'ALIMEN-TATION BIDON !

3

EN CE MOMENT, IL NE FAIT PAS BON AVOIR DES ARMES PLAN-QUÉES SOUS SON SOMMIER.

OUI, JE SAIS, C'EST ASSEZ MOCHE... ÇA PORTERAIT MÊME SUR LE COEUR...

VOUS SAVEZ CE QUE LA GESTAPO FAIT À DES GENS COMME VOUS ?

D'UN AUTRE CÔTÉ, AUJOURD'HUI, CE N'EST PAS PRUDENT NON PLUS DE LIVRER UNE RÉSISTANTE AUX ALLEMANDS...

C'EST UN COUP À SE RETROUVER AVEC TROIS BALLES DANS LE DOS SUR LE QUAI DU MÉTRO...

4

C'EST VRAI QUE VOUS ME POSEZ UN PROBLÈME, MADEMOISELLE !

10

MAIS LÂCHEZ-MOI !

QU'EST CE QUE C'EST QUE CE RAFFUT ?

UN CLIENT POUR VOUS, COMMISSAIRE.

C'EST UN PITOYABLE MALENTENDU, MONSIEUR LE COMMISSAIRE.

ON A CHOPÉ L'OISEAU RUE LEPIC, DES BIJOUX PLEIN LES POCHES, TROIS MILLE FRANCS EN LIQUIDE ET DES VALISES D'ANTIQUAIRE...

MAIS ÇA NE L'EMPÊCHE PAS DE SE FOUTRE DE NOTRE GUEULE !

CE SONT LES BIJOUX DE MA MÈRE !

VOYEZ, COMMISSAIRE, IL CONTINUE !

MAIS JE VOUS ASSURE, MONSIEUR LE COMMISSAIRE, ELLE EST TRÈS MALADE...

ELLE M'A CHARGÉ DE LES VENDRE POUR PAYER SON OPÉRATION.

ON DOIT ENLEVER LA VÉSICULE ET...

ET LES BIBELOTS, LES CHANDELIERS DANS LA VALISE...

...C'EST POUR DÉCORER LA CHAMBRE D'HÔPITAL ?

CE MATIN, JE NE SUIS PAS D'HUMEUR À ENTENDRE CE GENRE D'ÂNERIES.

FOUTEZ-MOI ÇA AU PLACARD !

5

11

ALLEZ, ENTRE LÀ-DEDANS!

MAIS, MA PAROLE, C'EST LE PETIT CHAPERON ROUGE!

T'ES LÀ POUR QUOI?... T'AS PIQUÉ LE POT DE BEURRE À TA GRAND-MÈRE?

FOUTEZ-MOI LA PAIX!

HOU LÀ! QUEL CARACTÈRE!

T'AS PEUT-ÊTRE UNE CIGARETTE À ME PASSER,... APRÈS, JE NE T'EMBÊTE PLUS.

JE NE FUME PAS.

AH BON, DÉCIDÉMENT!... MAIS ÇA NE TE DÉRANGE PAS SI J'EN GRILLE UNE PETITE?

JE CROYAIS QUE VOUS N'AVIEZ PAS DE CIGARETTES...

OH! IL NE M'EN RESTE PAS BEAUCOUP.

AU FAIT, QU'EST-CE QUE TU FOUS EN CABANE? T'AS POURTANT PAS L'AIR D'UNE PUTE...

MERCI, C'EST CHARMANT!

NON, C'EST VRAI, T'AS MÊME L'AIR PLUTÔT DISTINGUÉ.

JE NE PEUX PAS VOUS RETOURNER LE COMPLIMENT.

MERCI, C'EST CHARMANT!... EN ATTENDANT, TU M'AS TOUJOURS PAS DIT CE QUE TU FABRIQUES ICI.

ON A TROUVÉ DES ARMES CHEZ MOI.

AÏE, C'EST PAS BON, ÇA!

JE SAIS, ON ME L'A DÉJÀ DIT.

FINALEMENT, CE COMMIS-SAIRE, IL EST PLUS MALIN QU'IL EN A L'AIR.

IL N'A PAS EU BESOIN D'ÊTRE MALIN, ON M'A DÉNONCÉE...

AH! C'EST VRAI QUE C'EST À LA MODE...

ÇA AUSSI, ON ME L'A DÉJÀ DIT!

6

12

ALORS, TU TRAVAILLES POUR LES ALLIÉS. CHAPEAU !

MAIS C'EST ASSEZ MAL VU DANS LA MAISON.

MOI, PLUS MODESTEMENT, JE TRAVAILLE POUR MOI...

JE SUIS À MON COMPTE, SI TU PRÉFÈRES.

C'EST PAS TRÈS BIEN VU NON PLUS, REMARQUE !

FINALEMENT, TU SERAS PEUT-ÊTRE LA DERNIÈRE À ÊTRE FUSILLÉE PAR LES ALLEMANDS !

À MOINS QUE TU NE SOIS LA PREMIÈRE LIBÉRÉE PAR LES AMÉRICAINS... MAINTENANT QU'ILS ONT DÉBARQUÉ, AVEC UN PEU DE CHANCE...

COMMENT ÇA ?... LES AMÉRICAINS ONT DÉBARQUÉ ?... C'EST PAS POSSIBLE...

SI, MADEMOISELLE ! CE MATIN... EN NORMANDIE.

C'EST... C'EST UNE BLAGUE !...

SI TU NE ME CROIS PAS, TU N'AS QU'À LEUR DEMANDER, ILS NE VONT PAS TARDER À ÊTRE JUSTE AU-DESSUS.

7

UNE ALERTE AÉRIENNE VIENT DE RETENTIR, COMME UNE CONFIRMATION. ILS ONT ENFIN DÉBARQUÉ ! JE NE PENSAIS PAS L'APPRENDRE DE CETTE MANIÈRE, ET ENCORE MOINS À CET ENDROIT... JE PENSE À MA SŒUR...

C'EST AVEC ELLE QUE J'AURAIS VOULU PARTAGER CET INSTANT. JE L'IMAGINE APPUYÉE AU CHAMBRANLE DE LA PORTE, ESSOUFLÉE PAR LA RAIDEUR D'UN ESCALIER MONTÉ AU PAS DE CHARGE : "JEANNE... ILS ONT DÉBARQUÉ !..."

MA PAUVRE SOEUR, POURVU QU'ILS NE L'AIENT PAS ARRÊTÉE !...

Y A UNE ALERTE, COMMISSAIRE !

JE NE SUIS PAS SOURD !

JE VOUS REJOINS AUX ABRIS...

ET NOUS, ON RESTE LÀ ?

VOUS, VOUS NE RISQUEZ RIEN, CE SONT VOS AMIS...

SALAUD !

8

AH, PELLETIER... J'AI OUBLIÉ MON JOURNAL SUR MON BUREAU...

J'Y VAIS, CHEF !

9

PASSER PAR LE TOIT ? VOUS CROYEZ ? ÇA DOIT ÊTRE DANGEREUX !

TU PEUX RETOURNER LES ATTENDRE DANS TA CELLULE... T'AS ENCORE LE CHOIX...

BON ! À TOUT PRENDRE, JE PRÉFÈRE LE PLANTON DE LA PORTE D'ENTRÉE...

JE VOUS LAISSE ALLER FAIRE L'ACROBATE...

MALHEUREUSEMENT, CETTE SOLUTION DE REPLI N'EST DÉJÀ PLUS D'ACTUALITÉ.

CHEF, JE NE POUVAIS PAS DEVINER QUE LES CLÉS ÉTAIENT DANS VOTRE VESTE ...

ILS SONT LÀ-HAUT !... JE LES ENTENDS !

ON A DE LA CHANCE QUE ÇA NE SOIT PAS CADENASSÉ !

JE NE VAIS JAMAIS Y ARRIVER...

OH ! LÀ ! LÀ ! AH ! NON ! MOI, JE NE PASSE PAS PAR LÀ !

DONNE-MOI LA MAIN !

NON, NON, J'AI LE VERTIGE... ALLEZ-Y SANS MOI...

DONNE TA MAIN, NOM DE DIEU !... ET NE REGARDE PAS EN BAS !

10

16

AH, VOUS AVEZ FAIT DU BEAU TRAVAIL, PELLETIER !

LE COMMISSAIRE N'A PAS INSISTÉ. SANS DOUTE A-T-IL ESTIMÉ QUE NOUS ÉTIONS DÉJÀ TROP LOIN...

...ET LUI TROP PRÈS DE LA RETRAITE POUR PRENDRE LE RISQUE DE NOUS SUIVRE.

HOUUU, ÇA GLISSE...

TIENS, LA SIRÈNE...

C'EST LA FIN DE L'ALERTE. TES AMÉRICAINS NOUS ONT POSÉ UN LAPIN... JE CROYAIS QUE LES ANGLO-SAXONS ÉTAIENT DES GENTLEMEN !

EN PARLANT DE GENTLEMEN, MON ARSÈNE LUPIN NE M'ATTEND MÊME PAS ! IL NE LUI MANQUE PAS QUE LA CANNE ET LE CHAPEAU...

LE HURLEMENT D'UNE SIRÈNE PLUS PROCHE ME FAIT SURSAUTER. JE ME RATTRAPE DE JUSTESSE À UNE CHEMINÉE. LE VERTIGE ME COLLE AU CRÉPI, MES GENOUX TREMBLENT,... ET L'AUTRE, DEVANT, QUI TROTTE COMME UN RAMONEUR !...AH ! J'AI BIEN FAIT DE LUI EMBOÎTER LE PAS !

NE TE DÉPÊCHE PAS, SURTOUT.

JE FAIS CE QUE JE PEUX !

...J'AI PAS L'HABITUDE, MOI !

LÀ, ÇA SE COMPLIQUE...

IL VA FALLOIR SAUTER SUR LE TOIT DU DESSOUS.

HEIN ? AH ! NON. ÇA, JE NE PEUX PAS !

11

AÏE !

JE...JE CROIS QUE JE ME SUIS TORDU LA CHEVILLE...

MAIS NON !... ALLEZ, RELÈVE-TOI, FAUT PAS MOISIR ICI !

ET VOILÀ ! TU VOIS, IL N'Y AVAIT PAS DE QUOI EN FAIRE UN PLAT !

JE VOUS DIS QUE JE NE PEUX PLUS MARCHER !... ET J'AI CASSÉ MON TALON.

TOUT ÇA, C'EST DE VOTRE FAUTE !... AH ! C'ÉTAIT UNE RICHE IDÉE DE PASSER PAR LES TOITS.

MERCI !... MERCI BEAUCOUP ! SANS VOUS, JE NE SAIS PAS CE QUE JE DEVIENDRAIS !...

SANS MOI, TU SERAIS ENCORE AU PLACARD !... ALORS, CALME-TOI, S'IL TE PLAÎT.

AU LIEU DE RACONTER DES CONNERIES, ESSAIE DE TE RELEVER !

TU VAS T'APPUYER SUR MOI...

ON VA DÉJÀ TROUVER UN COIN POUR S'ABRITER.

LE PLUS INSUPPORTABLE, C'EST QUE CE N'ÉTAIT PAS FAUX !

AÏE ! VOUS ME FAITES MAL, EN PLUS !

MERDE !... C'EST PAS VRAI !

J'AI REÇU UNE GOUTTE...

DÉCIDÉMENT, ON EST GÂTÉS ! AVEC LA PLUIE, ÇA VA GLISSER DAVANTAGE...

MOI, JE RESTE LÀ !... JE NE BOUGE PLUS !

13

MANQUERAIT PLUS QU'ON ME LE REPROCHE! TOUT CE BORDEL-LÀ, MOI, J'AI RIEN DEMANDÉ, J'AI RIEN FAIT POUR...

ET SURTOUT RIEN FAIT CONTRE.

AH! C'EST VRAI, J'OUBLIAIS! MADAME S'EST ENGAGÉE. MADAME SE BAT POUR UN IDÉAL. MADAME EST SANS DOUTE GAULLISTE?...

NON, COMMUNISTE.

OH! LÀ! LÀ! C'EST PIRE QUE CE QUE JE PENSAIS.

15

LA NUIT TOMBE, UNE NUIT HOSTILE OÙ LE SOMMEIL VA AVOIR DU MAL À TROUVER SA PLACE! MAINTENANT, C'EST SÛR, NOUS SOMMES COINCÉS JUSQU'À DEMAIN. LA PLUIE A CESSÉ, LES GOUTTIÈRES ABANDONNENT LEURS DERNIERS FILETS D'EAU, LES ALERTES SE SUCCÈDENT ET RELANCENT LA CONVERSATION.

FINALEMENT, VOUS PRÉFÉREZ DÉPOUILLER LES BRAVES GENS DE LEURS BIENS! C'EST UN IDÉAL COMME UN AUTRE... UN PEU MINABLE, PEUT-ÊTRE...

AH ÇA, POUR ÊTRE MINABLE, IL EST MINABLE! MAIS C'EST CE QUI FAIT SA VALEUR, PERSONNE NE VEUT LE DÉFENDRE!

UN IDÉAL BOUDÉ PAR LE PEUPLE DEVIENT INOFFENSIF, ALORS QUE LES BELLES IDÉES, JE M'EN MÉFIE COMME DE LA PESTE.

ÇA COMMENCE PAR MOBILISER LES FOULES ET ÇA FINIT EN CARNAGE!

ÇA FAIT DU PÂTÉ D'IDÉAL, QUOI!

TIENS, JUSTEMENT, VOILÀ TES COPAINS QUI VIENNENT NOUS LIBÉRER, À COUPS DE BOMBES SUR LA GUEULE!... ÇA VA ENCORE FAIRE DU JOLI...

ÇA AUSSI, ÇA MET LA LIBERTÉ À UN COÛT DISSUASIF!

NON, CROIS-MOI, IL VAUT MIEUX ESSAYER DE FAIRE LE MAL, MAIS À PETITE ÉCHELLE, EN BON ARTISAN CONSCIENCIEUX...

ÇA FAIT BEAUCOUP MOINS DE DÉGÂTS QUE DE VOULOIR FAIRE LE BIEN À TOUT PRIX!

C'EST RIDICULE CE QUE VOUS RACONTEZ, PUIS C'EST COMMODE SURTOUT! MONSIEUR RESTE AU-DESSUS DE LA MÊLÉE, MONSIEUR REFUSE DE S'ENGAGER. PLUTÔT QUE D'ALLER QUELQUE PART, MONSIEUR PRÉFÈRE ÊTRE REVENU DE TOUT! C'EST TELLEMENT PLUS CONFORTABLE!

C'EST PEUT-ÊTRE CONFORTABLE, MAIS AU MOINS, MES PETITES COMBINES MESQUINES N'ONT TUÉ PERSONNE!

MAIS MOI NON PLUS, FIGUREZ-VOUS!

OH! MAIS ÇA VIENDRA!

16

ET VOUS, LE JOUR OÙ VOUS SEREZ SURPRIS PAR LE PROPRIÉTAIRE, À QUATRE PATTES DEVANT SON COFFRE, JE SUIS BIEN SÛRE QUE VOUS N'HÉSITEREZ PAS À SACRIFIER LE BONHOMME !... POUR PRÉSERVER VOTRE PETITE LIBERTÉ, PRÉCISÉMENT !

AH, MAIS ÇA NE PEUT PAS ARRIVER !

AH BON ? ET POUR QUELLE RAISON ?

PARCE QUE, JUSTEMENT, JE NE PEUX EN AUCUN CAS ME TROUVER NEZ À NEZ AVEC LE PROPRIÉTAIRE !

AH ! LA BONNE NOUVELLE.

ET POURQUOI, S'IL VOUS PLAÎT ?

ÇA, C'EST MON PETIT SECRET...

ET PUIS, BIEN SÛR, VOUS AVEZ PRIS LA MEIL-LEURE PLACE !... LA MIEUX ABRITÉE.

OH ! MAIS JE TE LA LAISSE, CAMARADE !

LA PLUIE HÉSITE, PUIS CESSE. MON COMPAGNON M'AGACE, IL DORT DÉJÀ. LES SCRUPULES DE M'AVOIR ENTRAÎNÉE DANS CETTE BÉRÉ-ZINA NE SEMBLENT PAS TROUBLER SON SOMMEIL ! LA NUIT FAIT SON CHEMIN. UNE LUNE RONDE ET EMBUÉE SURVEILLE NOS SILHOUETTES DE CLOCHARDS.

MON VOISIN N'A PAS BOUGÉ D'UN POUCE, IL DORT ASSIS COMME UN BIBELOT. IL A JUSTE ADOPTÉ UN RONFLEMENT PLUS SOURD, PLUS CONFOR-TABLE. POUR LUI, C'EST JUSTE UN PETIT BIVOUAC DE MALFAITEUR. MAIS QU'EST-CE QUE JE FOUS LÀ ?!...

17

JE N'AI PAS FERMÉ L'ŒIL ! J'AVAIS L'IMPRESSION QUE SI JE M'ENDORMAIS, J'ALLAIS INEXORABLEMENT GLISSER JUSQU'À LA GOUTTIÈRE ET TOMBER DU LIT, UN LIT AVEC DES PIEDS DE VINGT-CINQ MÈTRES.

MAIS ELLE DORT ENCORE...

MADEMOISELLE EST-ELLE DE MEILLEURE HUMEUR ?

IL NE PLEUT PLUS ? QUELLE HEURE EST-IL ?

IL EST L'HEURE DE NE PAS TRAÎNER ! ÇA VA MIEUX ?

PARDON ?

TA CHEVILLE ?

JE CROIS, OUI, JE NE LA SENS PLUS...

AÏE ! AH ! NON, C'EST PIRE QU'HIER.

NOUS VOILÀ PROPRES !

C'EST TOUT ENFLÉ. JE NE PEUX MÊME PLUS POSER LE PIED PAR TERRE.

AH ! ELLE EST BELLE, L'ARMÉE ROUGE !

L'ARMÉE ROUGE, ELLE VOUS EMMERDE !

POUR UN PEU, J'AURAIS PRESQUE EU DES SCRUPULES À LUI AVOIR PIQUÉ SON PORTEFEUILLE.

VOYONS CE QU'IL Y A D'INTÉRESSANT.

C'EST PAS POSSIBLE !

MAIS POURQUOI JE L'AI SUIVI, CET ABRUTI ?!

MERDE, MERDE ET MERDE ! QUEL SALAUD... MAIS QUEL FUMIER !...

C'EST VRAIMENT PAS CROYABLE ! ALORS, LÀ, POUR LE COUP, ÇA CHANGE TOUT !

MAIS, MA PAROLE, JE RETOMBE SUR L'AVANT-GARDE DE JOUKOV !

20

26

TIENS ! C'EST À TOI, JE CROIS !...TU LES AVAIS LAISSÉS SUR LE BUREAU DU COMMISSAIRE !

AH ! MERCI ! ET VOUS ÊTES REVENU POUR ÇA ?

OUI... FALLAIT PAS ?

TU PEUX VÉRIFIER, JE N'AI PAS FAUCHÉ L'ARGENT.

JE SUIS EN PROGRÈS.

EXCUSEZ-MOI, C'EST PAS ÇA, MAIS...SUR LE BUREAU DU COMMISSAIRE, À CÔTÉ DU PORTEFEUILLE...

...IL Y AVAIT UNE FAUSSE CARTE D'IDENTITÉ ET UNE CARTE D'ALIMENTATION...VOUS LES AVEZ LAISSÉES ?

AH ! J'AVOUE QUE JE N'AI PAS EU LE TEMPS DE FAIRE LE MÉNAGE.

ALORS, SI ELLES SONT TOUJOURS SUR LE BUREAU, MA SŒUR DOIT DÉJÀ ÊTRE ARRÊTÉE.

TE BILE PAS ! LES FAUX PAPIERS NE SONT PAS À SON NOM, JE SUPPOSE... NI À SON ADRESSE...ELLE NE RISQUE RIEN !

C'EST ÇA LE PROBLÈME, C'EST BIEN SON ADRESSE SUR LES FAUSSES CARTES.

ELLES ÉTAIENT POUR SON PETIT COPAIN, ELLE DEVAIT L'HÉBERGER.

AH ! ALORS LÀ, T'AS RAISON, ÇA SENT LE ROUSSI POUR TA FRANGINE.

C'EST SANS DOUTE ELLE, LA FILLE EN PHOTO DANS TON PORTEFEUILLE...

AH ! PARCE QUE VOUS AVEZ FOUILLÉ ?

J'AI DIT QUE J'ÉTAIS EN PROGRÈS, J'AI PAS DIT QUE J'ÉTAIS GUÉRI !

27

ÇA N'A RIEN À VOIR AVEC MA CHEVILLE, MAIS J'AVOUE QUE J'AI DU MAL À VOUS SUIVRE. VOUS ME PLANTEZ SUR LES TOITS, PUIS VOUS ME RAPPORTEZ MES PAPIERS...

C'EST LA PREMIÈRE QUALITÉ DES VOLEURS! BON, MAINTENANT, JE VAIS DEVOIR TE PORTER!

MAINTENANT, FAUT TROUVER QUELQUE CHOSE D'OUVERT POUR REDESCENDRE.

ON VA ÊTRE OBLIGÉS DE S'INVITER.

IL A L'AIR BRAVE, CE PETIT COUPLE!

VOUS ÊTES SÉRIEUX?

REMARQUE, SI TU PRÉFÈRES LE CONTRAIRE...

ET LUI AUSSI, IL A L'AIR BRAVE, LÀ, SUR LE FAUTEUIL.

AÏE! J'AVAIS PAS VU LE CHIEN!

VOUS N'ÊTES PAS UN GARÇON FACILE À SAISIR!...

JE NE SAIS PAS CE QUE C'EST COMME MARQUE, LE CLÉBARD, MAIS IL EST BALÈZE.

ET PUIS, JE ME MÉFIE DES CHIENS D'APPARTEMENT... ILS SONT TOUJOURS EN MANQUE D'EXERCICE.

BON, APPAREMMENT, ICI, IL N'Y A PAS DE CHIEN, C'EST DÉJÀ ÇA.

22

MOI, JE NE LE SENS PAS, LE GRAND-PÈRE.

PUIS, IL MARCHE AVEC DES PATINS, C'EST PAS BON SIGNE !... LÀ, ON EST TOMBÉS SUR LE RONCHON MANIAQUE... LE GENRE À NE PAS SUPPORTER LA VISITE DE SES PETITS-ENFANTS ! ALORS, NOUS... T'IMAGINES...

MOI, JE TROUVE QU'IL A UNE BONNE TÊTE.

AH BON ? COMMENT TU PEUX DIRE QU'IL A UNE BONNE TÊTE ?...

IL MARCHE COMME UN AUTOMATE EN REGARDANT SES PANTOUFLES.

BON, ON NE VA PAS Y PASSER LE RÉVEILLON ! ALORS, CHOISISSEZ CE QUE VOUS VOULEZ...

...LE PETIT VIEUX, LE GROS CHIEN, N'IMPORTE QUOI, MAIS CHOISISSEZ !

BON ! BON ! CALME-TOI.

VA POUR LE PÉPÉ GRINCHEUX ! NE BOUGE PAS, JE REVIENS TE CHERCHER DANS CINQ MINUTES.

ÇA Y EST ! TOUT EST ARRANGÉ.

23

JE VOUS L'AVAIS BIEN DIT QU'IL AVAIT UNE BONNE TÊTE.

UNE BONNE TÊTE DE FAUX-CUL, OUI ! IL VOULAIT NOUS BALANCER AUX BOCHES.

IL EST OÙ ?

À CÔTÉ, IL DORT.

VOUS L'AVEZ ASSOMMÉ ?

LES VIEUX, ÇA A TOUJOURS DU MAL À S'ENDORMIR !...

DOMMAGE QU'ON SOIT PRESSÉS PAR LE TEMPS...

...PARCE QUE LES PETITS VIEUX AUX JOUES GRISES COMME ÇA, ÇA SENT PAS SEULEMENT L'AIGREUR ET LE PIPI DE CHAT...

...ÇA SENT AUSSI LES LOUIS D'OR DANS LA BOÎTE À SUCRE, OU L'EMPRUNT RUSSE SOUS LA PILE DE LINGE...

...À MOINS QUE ÇA NE SOIT LES PETITES COUPURES DANS LA BOÎTE À CHAPEAUX !

PERDU. IL EST PLUS MALIN QUE ÇA !

OÙ T'AS PLANQUÉ TES SOUS, GRAND-PÈRE ? FAIS PAS SEMBLANT DE DORMIR.

VOUS EN AVEZ ENCORE POUR LONGTEMPS ?

TOC TOC TOC

24

MONSIEUR CROTON N'EST PAS LÀ ?

HEU, IL DORT ENCORE ! ON A FÊTÉ SON ANNIVERSAIRE HIER SOIR, ON S'EST COUCHÉS TARD...

C'EST RAPPORT À SON VÉLO-TAXI... SON FILS L'A ENCORE GARÉ COMME UN COCHON, JE NE PEUX MÊME PAS SORTIR MES POUBELLES.

ON NE VA PAS RÉVEILLER MON ONCLE POUR SI PEU. JE M'EN OCCUPE.

VOUS ÊTES BRUNO, JE PARIE ?...

VOILÀ.

TOUT JUSTE.

ET LA PETITE DAME, C'EST JOSETTE.

BONJOUR, MADAME.

DU COUP, VOUS ÊTES ARRIVÉS DE BRETAGNE PLUS TÔT QUE PRÉVU...

VOILÀ.

ET VOUS VOUS ÊTES DIT : "ON VA FAIRE LA SURPRISE À TONTON."

EXACT.

IL A DÛ ÊTRE DRÔLEMENT CONTENT DE VOUS VOIR... ET PUIS RUDEMENT SURPRIS.

VOILÀ, C'EST SURTOUT ÇA !

ET VOTRE DAME, ELLE S'EST TORDU LA CHEVILLE COMMENT ? EN DESCENDANT DU TRAIN, JE PARIE ?

EXACTEMENT, EN DESCENDANT DU TRAIN, BÊTEMENT.

MAIS ILS FONT LES MARCHES TROP HAUTES, AUSSI !...

ALORS, QUAND ON EST CHARGÉ...

ON AURAIT EU TORT D'APPRÉHENDER LES QUESTIONS, PUISQU' ELLE SE CHARGEAIT VOLONTIERS DES RÉPONSES.

ALLEZ VOIR DE MA PART MONSIEUR RIPEUX ! C'EST UN REBOUTEUX, IL EST ÉPATANT ! DIX, RUE LAMARCK, AU FOND DE LA COUR.

25

VOUS FRAPPEZ PAS, J'EXPLIQUE-RAI À VOTRE ONCLE POUR LE VÉLO-TAXI.

PUIS VOUS SEREZ PEUT-ÊTRE DE RETOUR AVANT SON RÉVEIL.

C'EST PAS SÛR...

BON, MAINTENANT QU'ON EST OUTILLÉS, JE TE DÉPOSE OÙ ?

IL FAUT DÉJÀ PRÉVENIR MA SŒUR, C'EST LE PLUS URGENT.

TU NE VEUX PAS QUE JE TE DÉPOSE DIRECTEMENT AU COMMISSARIAT ? APRÈS CE QUE TU M'AS RACONTÉ, LES FLICS Y SONT DÉJÀ, CHEZ TA SŒUR.

COMMENCE PAR TE TROUVER UNE PLANQUE, ON VERRA APRÈS CE QU'ON PEUT FAIRE POUR TA FRANGINE.

UNE PLANQUE, VOUS ÊTES MARRANT, ÇA NE S'IMPROVISE PAS COMME ÇA !...

ÉCOUTEZ, JE NE VAIS PAS VOUS EMPOISONNER LA VIE PLUS LONGTEMPS...

LAISSEZ-MOI DANS UN CAFÉ, UN SQUARE, JE ME DÉBROUILLERAI.

MAIS TU NE PEUX MÊME PAS MARCHER, MA PAUVRE COCOTTE !

BON ! J'AI MA PETITE IDÉE. LAISSE-MOI FAIRE.

AI-JE BIEN LE CHOIX ?

26

ALORS, ÇA BRICOLE ?

MAIS C'EST MON GARS FRANÇOIS !

HUGUETTE, VIENS VOIR, IL Y A FRANÇOIS QUI EST LÀ... BEN, RESTEZ PAS PLANTÉS COMME ÇA, MONTEZ !

HIMALAYA

HIMALAYA

QU'EST-CE QUE TU FABRIQUES ? TU TERMINES LE MUR DE L'ATLANTIQUE ?

TU CROIS PAS SI BIEN DIRE !... ON A ENCORE DEUX COLLÈGUES CETTE SEMAINE... CISAILLÉS DANS LEUR MARQUISE.

AH ! CES PUTAINS D'AVIONS !... ALORS, MOI, JE MULTIPLIE LES COUCHES... PLAQUES DE TÔLE ET PARPAINGS... UN PETIT BLINDAGE MAISON, QUOI !...

ET PUIS, ÇA M'OCCUPE, PARCE QUE, EN CE MOMENT, LES CHARGEMENTS, C'EST PLUTÔT CALME !

JEANNE, JE TE PRÉSENTE RENÉ, DIT "PIED MARIN".

BONJOUR, JE NE VOUS VOLERAI PAS VOTRE SURNOM !...

HUGUETTE ! OÙ EST-ELLE PASSÉE ? ON A DU MONDE !

VOILÀ, VOILÀ...

RENÉ, AVEC CE SOLEIL, TU DEVRAIS METTRE UN CHAPEAU !... AH ! MAIS IL Y A FRANÇOIS.

J'AI UN PEU LA TÊTE QUI TOURNE.

HUGUETTE, VA CHERCHER DE L'EAU DE MÉLISSE, LA PETITE EST EN TRAIN DE TOURNER DE L'ŒIL !

28

34

JE REPRENDS CONNAIS-SANCE DANS UNE CABINE VERNIE COMME UN SOULIER, PROPRE COMME UN CHALET SUISSE ET GRANDE COMME UN TIROIR.

BIENVENUE SUR L'"HIMALAYA"... POUR CE PETIT VERTIGE, FAUT PAS QU'ELLE S'INQUIÈTE, ÇA DOIT ÊTRE L'ALTITUDE...

ALORS, COMME ÇA, ELLE SE CACHE ?

MOI AUSSI, FIGUREZ-VOUS...

MAIS MOI, C'EST JUSTE POUR PICOLER !... ELLE EN PRENDRA BIEN UNE PETITE GOUTTE ?

NON, MERCI.

J'EN PROFITE PENDANT QUE LE GENDARME A LE DOS TOURNÉ ! PARCE QUE LA HUGUETTE, VOUS ALLEZ VOIR, FAUT SE LA FARCIR !

REMARQUEZ, ELLE EST BRAVE. MAIS ALORS, ELLE PARLE TOUT LE TEMPS... ELLE ME SOÛLE.

FINALEMENT, VOUS BUVEZ POUR VOUS DESSOÛLER.

Y A DE ÇA !... ELLE EST SÛRE QU'ELLE EN VEUT PAS UNE PETITE GOUTTE ?

OUI, ELLE EST SÛRE !

TIENS, V'LÀ LA VEDETTE ! JE VOUS PRÉSENTE MON FILS NICOLAS.

MAMAN A BESOIN DE TOI !

ÇA M'AURAIT ÉTONNÉ !

29

IL N'A PAS TORT, RENÉ. ELLE EST BAVARDE, HUGUETTE !

SEIGNEUR JÉSUS ! VOUS NOUS AVEZ FAIT UNE SACRÉE PEUR ! ÇA VA MIEUX ?

OH ! PUIS VOUS ÊTES PARTIE D'UN COUP ! COMME ÇA, HOP ! PLUS PERSONNE !...

OUI, MERCI.

RENÉ A JUSTE EU LE TEMPS DE VOUS RATTRAPER ! REMARQUEZ, IL A L'HABITUDE ! ÇA M'ARRIVE AUSSI QUELQUEFOIS ! DANS MON ÉTAT, Y PARAÎT QUE C'EST NORMAL !

...OUI, PARCE QUE J'ATTENDS UN BÉBÉ.

ET VOUS SAVEZ QUEL PRÉNOM RENÉ VEUT LUI DONNER ?

MA FOI, NON.

RAOUL ! IL VEUT L'APPELER RAOUL...

C'EST GENTIL, RAOUL.

C'EST VOUS QUI ÊTES GENTILLE. MOI, JE TROUVE ÇA VILAIN ! PUIS, POUR UN PETIT QUAND MÊME, C'EST DUR ! VOUS NE TROUVEZ PAS ?

AH, POUR UN PETIT, C'EST VRAI QUE...

REMARQUEZ, VOUS ALLEZ ME DIRE, IL NE RESTERA PAS PETIT TOUT LE TEMPS !

C'EST VRAI AUSSI... ET SI C'EST UNE FILLE ?

C'EST ENCORE PLUS MOCHE POUR UNE FILLE !...

JE NE SAIS MÊME PAS SI ÇA EXISTE DES FILLES QUI S'APPELLENT RAOUL.

30

CE N'EST PAS CE QUE JE VOULAIS DIRE...

...SI VOUS N'AVEZ PAS DE GARÇON, LA FILLE, VOUS LA PRÉNOMME-REZ COMMENT ?

AH ! JE ME DISAIS AUSSI... RAOUL POUR UNE FILLE...

ALORS, LE PRÉNOM FÉMININ, C'EST PAS FAMEUX NON PLUS. IL VEUT L'APPELER JEANNE.

EXCUSEZ-MOI, JE NE PENSAIS PAS VOUS RÉVEILLER.

J'AI DORMI COMBIEN DE TEMPS ? IL FAIT DÉJÀ NUIT ?

MAIS NON !

ON EST DANS LE TUNNEL... SOUS LE BOULEVARD RICHARD LENOIR !

ET FRANÇOIS, OÙ EST-IL PASSÉ ?

IL EST REPARTI.

COMMENT ÇA, IL EST REPARTI ?

OUI, IL AVAIT DU BOULOT, JE CROIS...

J'IMAGINE LE GENRE DE BOULOT...

IL M'A PLANTÉE LÀ, QUOI !

VOUS ÊTES UN PEU DANS LES AFFAIRES, COMME LUI ?

PAS DU TOUT.

AH BON ? POURTANT FRANÇOIS M'A DIT : "ELLE SE CACHE, ELLE A LES FLICS AU CUL !"

IL N'EST PAS SEULEMENT DANS LES AFFAIRES, TON AMI FRANÇOIS, C'EST AUSSI UN POÈTE !

PARCE QUE C'EST PAS VOTRE AMI ?

PAS ENCORE, NON !

TU CROIS QUE JE PEUX PÉDALER AVEC UN SEUL PIED ?

VOUS ÊTES MALADE, VOUS VOULEZ ALLER OÙ ?

IL FAUT QUE JE PRÉVIENNE QUELQU'UN. IL REVIENT QUAND, FRANÇOIS ?

ALORS ÇA, ÇA PEUT ÊTRE DANS UNE HEURE COMME DANS UNE SEMAINE !

C'EST GAI !

MAIS MOI, JE PEUX VOUS EMMENER.

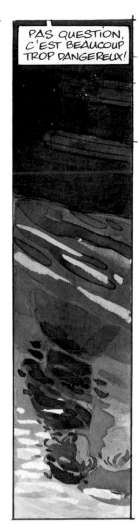

PAS QUESTION, C'EST BEAUCOUP TROP DANGEREUX !

C'EST ELLE QU'IL FAUT PRÉVENIR ?

OUI.

ELLE EST CHOUETTE, DITES DONC ! C'EST QUI ?

C'EST MA SŒUR.

D'UN COUP DE VÉLO-TAXI, JE VOUS Y DÉPOSE SI VOUS VOULEZ, CHEZ VOTRE FRANGINE.

JE NE VEUX PAS TE MÊLER À TOUT ÇA !

MAIS VOUS BILEZ PAS, MOI ÇA ME FAIT POILER.

MAIS C'EST PAS UN JEU, NICOLAS !

33

39

RUE DES COURONNES, ÇA GRIMPE DANS CE COIN-LÀ!... QUAND JE PENSE QUE VOUS VOULIEZ Y ALLER SUR UNE JAMBE!

POURVU QUE LE COMMISSAIRE FOIREUX N'Y SOIT PAS DÉJÀ! AVEC UN PEU DE CHANCE, IL AURA LAISSÉ TOMBER... AVEC LES AMÉRICAINS À DEUX CENTS KILOMÈTRES, IL NE VA PAS FAIRE DU ZÈLE POUR S'OCCUPER DE NOUS...

...OU ALORS, IL AURA DÉJÀ BALANCÉ LE DOSSIER AUX ALLEMANDS!...

ON Y EST PRESQUE! J'AI LA TROUILLE. CHAQUE TOUR DE PÉDALIER ME NOUE L'ESTOMAC COMME UN GARROT.

L'IMMEUBLE N'A PAS L'AIR SURVEILLÉ.

ÇA NE VEUT RIEN DIRE! LES FLICS ATTENDENT PEUT-ÊTRE À L'INTÉRIEUR.

ÉCOUTEZ, VOUS M'ATTENDEZ LÀ, JE MONTE EN DOUCE, J'ÉCOUTE À LA PORTE, JE MATE PAR LE TROU DE LA SERRURE, ET JE REDESCENDS AU RAPPORT!

JE TE RÉPÈTE QUE CE N'EST PAS UN JEU!...JE NE SAIS PAS SI C'EST BIEN PRUDENT DE...

MAIS VOUS BILEZ PAS! LAISSEZ-MOI FAIRE.

34

DANS CINQ MINU-TES, JE SUIS DE RETOUR...

...ET AVEC VOTRE SŒUR ENCORE!

TU CHERCHES QUI ?

MONTRE-NOUS TES PAPIERS, MON GARÇON !

35

MAIS QU'EST-CE QU'IL FABRIQUE ?!... ÇA FAIT VINGT MINUTES QU'IL EST PARTI !

J'AURAIS JAMAIS DÛ ACCEPTER QUE CE GOSSE MONTE À MA PLACE !...

IL LUI EST ARRIVÉ QUELQUE CHOSE, C'EST SÛR ! MAINTENANT, ÇA FAIT PLUS D'UNE HEURE !... À TOUS LES COUPS, LES FLICS SONT LÀ-HAUT !

FAUT PAS QUE JE RESTE LÀ !

S'ILS ONT ARRÊTÉ LE GOSSE, JE NE PEUX RIEN POUR LUI !

NON, JE NE PEUX PAS L'ABANDONNER COMME ÇA !... JE SUIS EN TRAIN DE PERDRE LES PÉDALES.

IL FAUT QUE J'AILLE VOIR CE QUI SE PASSE !...

ELLE PART SANS PAYER, LA DAME ?

36

42

NICOLAS, MAIS QU'EST-CE QUE TU FABRIQUAIS?...TU M'AS FOUTU UNE DE CES TROUILLES!...

LES FRITZ SONT BIEN CHEZ VOTRE SOEUR... ILS M'ONT CHOPÉ JUSTE QUAND J'ALLAIS REDESCENDRE.

ET ILS T'ONT RELÂCHÉ? QU'EST-CE QUE TU LEUR AS DIT?

QUE JE VENAIS CHEZ LE DENTISTE ET QUE J'AVAIS DÛ ME TROMPER D'ÉTAGE...J'AVAIS VU LA PLAQUE EN ENTRANT DANS L'IMMEUBLE...

PARLE MOINS FORT!... ET ALORS?

BEN, C'EST POUR ÇA QUE J'AI ÉTÉ UN PEU LONG. ILS NE M'ONT PAS VRAIMENT CRU!...ALORS, ILS M'ONT ACCOMPAGNÉ À L'ÉTAGE AU-DESSOUS... CHEZ LE DENTISTE, QUOI...

AÏE !

COMME VOUS DITES !

HEUREUSEMENT, J'AVAIS TROIS CARIES!... LE DENTISTE M'A MÊME ENGUEULÉ DE NE PAS ÊTRE VENU PLUS TÔT.

COMME QUOI, ÇA SERT DE NE PAS SE LAVER LES DENTS !

J'AI DU MAL À ME CONCENTRER SUR LES MISÈRES DENTAIRES DE NICOLAS.

IL M'APPORTE LE PIRE VERDICT, CELUI QUE JE CRAIGNAIS D'ENTENDRE, COMME UN DIAGNOSTIC QUE L'ON REDOUTE: MA SOEUR EST AUX MAINS DES ALLEMANDS.

37

NOUS SORTONS DU CAFÉ COMME D'UN HÔPITAL... IL RESTE ENCORE UNE PETITE CHANCE D'OBTENIR DES NOUVELLES... LA LIBRAIRIE DE LA RUE DES FONTAINES... C'EST NOTRE BOÎTE AUX LETTRES.

BAR TABAC

L'ÉPOPÉE DE NICOLAS A AMUSÉ TOUT LE MONDE, SAUF SA MÈRE QUI PONCTUAIT TOUS LES TEMPS FORTS DU RÉCIT PAR "SEIGNEUR JÉSUS". À LA FIN DU REPAS, LA PETITE TABLÉE TENTE DE ME REMONTER LE MORAL, COMME AUX GRANDS MALADES À QUI L'ON FEINT DE TROUVER MEILLEURE MINE. FRANÇOIS ACCUMULE LES HYPOTHÈSES RASSURANTES.

MOI, JE DIS QUE SI LES BOCHES SONT CHEZ TA SŒUR, C'EST QU'ILS NE L'ONT PAS ENCORE POIRÉE ! TE FRAPPE PAS !

ET TA LIBRAIRIE FERMÉE... LE GARS, IL EST PEUT-ÊTRE ALLÉ À LA PÊCHE.

OU AU BISTROT DU COIN...

AH ! ÇA, TOI, QUAND T'ES PAS SUR LE BATEAU, ON S'INQUIÈTE PAS ! ON SAIT OÙ TE TROUVER.

ET MICHEL ?... JE L'OUBLIAIS.

QUI EST CE MICHEL ?

UN CAMARADE DU RÉSEAU, LUI AUSSI. IL FAUT LE PRÉVENIR D'URGENCE.

VOUS BILEZ PAS, JE VOUS Y EMMÈNERAI DEMAIN !

AH ! SÛREMENT PAS ! PUIS T'ES PAS ENCORE COUCHÉ, TOI ? ALLEZ, FILE AU LIT !

ET LAVE-TOI LES DENTS !

JE M'EN CHARGE, DE TON MICHEL. ET IL Y EN A ENCORE BEAUCOUP À PRÉVENIR COMME ÇA ?

NON, AVEC MA SŒUR, ON ÉTAIT TROIS... CHEZ NOUS, CHAQUE CAMARADE NE CONNAÎT QUE DEUX AUTRES MEMBRES DU RÉSEAU... PAR SÉCURITÉ.

39

ET OÙ EST-CE QU'IL CRÈCHE, CE MICHEL ?

JE N'EN SAIS RIEN.

AH ! BEN, JE SERAI PLUS VITE REVENU.

NON, MAIS JE SAIS OÙ IL TRAVAILLE. IL EST POINÇONNEUR.

DANS LE MÉTRO?

NON, DANS UN BUS À L'ARRIÈRE. SUR LA PLATE-FORME.

DEMAIN MATIN, IL SUFFIRA DE LE GUETTER AUX GOBELINS, À L'ENTREPÔT...

POUR SE FAIRE CUEILLIR PAR LA GESTAPO?

TU PENSES BIEN QUE LES BOCHES RISQUENT DE FAIRE COMME NOUS!

ÇA... FRANÇOIS N'A PAS TORT!

TU NE CONNAIS PAS LE NUMÉRO DE SA LIGNE?

SI!

EH OUI, BIEN SÛR, IL N'Y A QU'À LUI TÉLÉPHONER.

MAIS NON, LE NUMÉRO DE SA LIGNE DE BUS!

AH!

NICOLAS M'A LAISSÉ SA CABINE POUR OCCUPER UN PETIT RÉDUIT À L'AVANT DE LA PÉNICHE. FRANÇOIS EST REPARTI "EN VISITE", POUR REPRENDRE SA FORMULE ÉLÉGANTE...

LE VENT S'EST LEVÉ, LE CHAHUT DES PLATANES COUVRE LES CHUCHOTEMENTS QUI SUINTENT DE LA CABINE VOISINE. JE N'EN PERÇOIS QUE DES BRIBES...

N'EMPÊCHE QUE MON IDÉE DE TÉLÉPHONER, C'ÉTAIT PAS SI BÊTE.

DORS, HUGUETTE!

IL FAIT NUIT DEPUIS DEUX HEURES, ET JE NE TROUVE PAS LE SOMMEIL. QUAND JE FERME LES YEUX, C'EST POUR VOIR LE VISAGE DÉSEMPARÉ DE MA SŒUR DANS L'OMBRE SALE D'UNE GEÔLE DE LA GESTAPO.

UNE AUTRE PENSÉE M'OBSÈDE ET DÉCLENCHE UNE BOUFFÉE DE HONTE, CELLE D'AVOIR UNE SEULE SECONDE ENVISAGÉ D'ABANDONNER NICOLAS À SON SORT. FINALEMENT, JE NE VAUX PEUT-ÊTRE PAS BEAUCOUP MIEUX QUE LE SALAUD QUI M'A DÉNONCÉE.

40

AU PETIT MATIN, SUR UN BANC DE LA RUE RÉAUMUR, NOUS ESPÉRONS LE PASSAGE DE MICHEL... TROIS HEURES ET NEUF BUS PLUS TARD, NOUS GUETTONS TOUJOURS SON HYPOTHÉTIQUE SILHOUETTE SUR LA PLATE-FORME ARRIÈRE.

ON VA FINIR PAR SE FAIRE REPÉRER. LE CORDONNIER D'EN FACE COMMENCE À NOUS REGARDER BIZARREMENT.

TU PARLES, LES BUS NOUS PASSENT SOUS LE NEZ ET ON NE MONTE JAMAIS DEDANS... ON VA CHANGER DE STATION, C'EST PLUS PRUDENT !

T'ES SÛRE QUE C'EST LA BONNE LIGNE ?

CERTAINE.

J'AI BIEN PEUR QUE LES BOCHES L'AIENT CRAVATÉ AVANT NOUS, TON MICHEL.

C'EST LUI.

JEANNE ! QU'EST-CE QUE TU FAIS LÀ ?

ON A ÉTÉ DÉNONCÉS, MICHEL!

QU'EST-CE QUE TU RACONTES?

MERDE! MATHILDE A ÉTÉ ARRÊTÉE?

TOI, TU N'AS PAS EU DE SES NOUVELLES?

ON NOUS A BALANCÉS, JE TE DIS!

J'AI VOULU PRÉVENIR MA SŒUR... LA GESTAPO EST DÉJÀ CHEZ ELLE!

JE LE CRAINS! J'AI PEUR, MICHEL.

NON, AUCUNE!... ELLE A PEUT-ÊTRE LAISSÉ UN MESSAGE À LA BOÎTE.

LA LIBRAIRIE EST BOUCLÉE... JE SUIS PASSÉE DEVANT.

BON!... PAS D'AFFOLEMENT... TU SAIS OÙ TE PLANQUER?

POUR L'INSTANT, OUI... ET TOI?

T'INQUIÈTE PAS POUR MOI! JE VAIS BIEN TROUVER UN CAMARADE POUR M'HÉBERGER QUELQUES JOURS.

MAIS QU'EST-CE QUE TU T'ES FAIT À LA CHEVILLE?

42

ÇA SERAIT TROP LONG À T'EXPLIQUER...IL FAUT QUE JE DESCENDE LÀ !

SI TU AS DU NEUF POUR MA SŒUR, TU ME TROUVERAS SUR LES BORDS DE SEINE... L'"HIMALAYA"...

ARRÊTE, MICHEL ! C'EST VRAIMENT PAS LE MOMENT.

C'EST MARRANT QUE TU N'AIES PAS SON ADRESSE. TU AS L'AIR DE BIEN LE CONNAÎTRE...

SI JE N'AI PAS SON ADRESSE, C'EST PARCE QU'IL HABITAIT CHEZ MOI... JUSQU'À LA SEMAINE DERNIÈRE !

43

TU L'AS VIRÉ ?

DÉCIDÉMENT, C'EST LA SEMAINE DES DÉBARQUEMENTS !

UN DRÔLE DE NUMÉRO, CE FRANÇOIS. IL ME PROMÈNE DANS PARIS COMME LA REINE DU TONKIN. DEPUIS VINGT-QUATRE HEURES, IL EST AUX PETITS SOINS POUR MOI, RIEN NE L'Y OBLIGE. JE L'AI PEUT-ÊTRE JUGÉ UN PEU RAPIDEMENT. IL VAUT MIEUX QUE SES IDÉES... FINALEMENT, EN DESCENDANT DES TOITS, IL A PRIS DE LA HAUTEUR !

NOUS LEVONS L'ANCRE DÈS NOTRE RETOUR. POUR LA FORTIFICATION DE SA MARQUISE, RENÉ AVAIT RENDEZ-VOUS AU VIADUC DE PASSY. IL DEVAIT ÉCHANGER QUELQUES SOLIDES PLAQUES DE TÔLE CONTRE UN VÉLO-TAXI OFFERT PAR UN GÉNÉREUX DONATEUR.

VOTRE MICHEL, LÀ, SI ÇA SE TROUVE, C'EST LUI QUI VOUS A BALANCÉE !

MAIS TAIS-TOI DONC ! L'ÉCOUTEZ PAS, MADEMOISELLE.

BEN, ÉCOUTE, LA BOÎTE AUX LETTRES EST GRILLÉE, LES BOCHES SONT CHEZ SA SŒUR... ET LUI, PERSONNE L'EMMERDE...

...IL CONTINUE SA PETITE VIE TRANQUILLE À POINÇONNER SES TICKETS, PEINARD...

C'EST QUAND MÊME LOUCHE, NON ?

J'AI PAS RAISON, FRANÇOIS ?

BEN...

MAIS Y VONT PAS SE DÉNONCER ENTRE EUX, QUAND MÊME !

AH ! JE SAIS PAS SI C'EST LE COUP DE SOLEIL OU LE BERGE-RAC DE MIDI, MAIS TU PERDS LA BOULE, MON PAUVRE AMI !

C'EST PAS SI IDIOT QUE ÇA. VOUS L'AVEZ LAISSÉ TOMBER, IL SE VENGE. ON A VU PIRE !

TAISEZ-VOUS !

AH ! VOUS VOYEZ, VOUS Y AVEZ PENSÉ AUSSI !

J'AI PEUR QUE RENÉ AIT RAISON. J'AI PEUR POUR MA SŒUR, J'AI PEUR POUR MOI... J'AI PEUR TOUT COURT !

LA PEUR, ELLE EXISTAIT AVANT MON ARRESTATION, MAIS DEPUIS, ELLE A PRIS DU GALON ! AUPARAVANT, JE SAVAIS QUE LA CHASSE ÉTAIT OUVERTE, MAIS MAINTENANT, J'AI L'IMPRESSION D'ENTENDRE LES CHIENS !

MAIS, RENÉ, ÇA TIENT PAS DEBOUT, ILS ÉTAIENT DANS LA MÊME ÉQUIPE !

MAIS, NOM DE DIEU, HUGUETTE, ILS NE JOUAIENT PAS À LA BELOTE, C'EST PLUS COMPLIQUÉ QUE ÇA !

SE DÉNONCER ENTRE EUX... TU DÉRAILLES, MON PAUVRE AMI ! ...TOI, FAUT PLUS QUE TU SORTES SANS CHAPEAU !

HUGUETTE, TU M'EMMERDES.

44

BON ! JE NE DIS PLUS RIEN.

AVEC LA DISCRÉTION QUI S'IMPOSE, RENÉ AVAIT RÉGLÉ SES PETITES AFFAIRES DANS LA NUIT.

EN ATTENDANT, PLUTÔT QUE DE DÉPLACER LE BATEAU, T'AURAIS PU ALLER LES CHERCHER EN VÉLO, TES PLAQUES DE TÔLE !

MERCI, T'AS VU LE POIDS ? T'ES GÉNÉREUSE DES EFFORTS DES AUTRES, TOI !

RENÉ A RAISON. DES FOIS, VAUT MIEUX DÉPLACER LE PIANO QUE LE TABOURET.

GÂCHE UN PEU DE CIMENT, AU LIEU DE FAIRE DE L'ESPRIT !

AU FAIT, RENÉ... CETTE NUIT, JE PENSAIS À VOTRE ACCUSATION CONCERNANT MICHEL...

...JE M'EXCUSE, MAIS... ÇA NE TIENT PAS DEBOUT...

...IL NE M'AURAIT PAS DÉNONCÉE POUR MARCHÉ NOIR.

BIEN VU !

MOI, JE PERSISTE À CROIRE QUE C'EST SON AMOUREUX QUI A FAIT LE COUP !

IL N'AIME PAS AVOIR TORT !

MAIS ELLE A RAISON, RENÉ !

POURQUOI AURAIT-IL INVENTÉ DES HISTOIRES DE COCHONNAILLES, ALORS QUE JEANNE AVAIT DES ARMES PLANQUÉES SOUS SON SOMMIER?

MAIS JUSTEMENT, CETTE HISTOIRE DE MARCHÉ NOIR, C'EST BIEN PLUS MALIN, ÇA BROUILLE LES PISTES...FAIS GAFFE ! AVEC LE CIMENT, T'ES EN TRAIN DE ME SALOPER LE BAS DE LA MARQUISE !

45

QU'EST-CE QUE JE DISAIS?... AH! OUI... SI UN JOUR VOTRE MICHEL AVAIT À RENDRE DES COMPTES, LE FAIT QUE VOUS AYEZ ÉTÉ ARRÊTÉE POUR DES HISTOIRES DE SAUCISSES OU DE JAMBON, ÇA LE DISCULPE... VOUS ME SUIVEZ?...

ALORS QU'UNE DÉNONCIATION POUR RÉSISTANCE, C'EST PRESQUE LE DÉSIGNER.

EN TOUT CAS, IL SERAIT AU PREMIER RANG DES SUSPECTS...

J'AI RIEN COMPRIS! TU COMPLIQUES TOUT, MON PAUVRE AMI!... ALLEZ, FAUT PLUS Y PENSER, MADEMOISELLE!

T'EN AS DE BONNES, HUGUETTE! ÇA S'OUBLIE PAS COMME UN PARAPLUIE!

BON! JE NE DIS PLUS RIEN.

PUTAIN, T'EN METS SUR MES POMPES, MAINTENANT!

TU L'AS FAIT TROP LIQUIDE, LE CIMENT!

T'ES SÛR QUE T'ES BIEN DROIT, LÀ?... LAISSE-MOI VÉRIFIER!

HUGUETTE, T'AS PAS VU MON FIL À PLOMB?

JE T'AI DIT QUE JE NE DISAIS PLUS RIEN!

ALLEZ, FAIS PAS LA GUEULE.

TIENS, SORS-NOUS PLUTÔT UNE BOUTEILLE DE ROSÉ...ON A BIEN MÉRITÉ UNE PETITE PAUSE!

POUR UNE FOIS QUE T'AS UN PRÉTEXTE.

46

47

53

NOUS AVONS PASSÉ LA NUIT QUAI DES GRANDS AUGUSTINS. AUX PREMIÈRES HEURES DU JOUR, LES ONDES DE PASSAGE DES PÉNICHES MATINALES RÉVEILLENT NOTRE BATEAU ENGOURDI, LE SECOUENT MOLLEMENT EN LUI TIRANT QUELQUES CRAQUEMENTS DE MAUVAISE HUMEUR.

TU RENTRES SEULEMENT DU BOULOT ? TU VAS TE RUINER LA SANTÉ !

FRANÇOIS REVENAIT TOUT JUSTE DE SES VISITES NOCTURNES. COMME UN BON MÉDECIN SPÉCIALISÉ DANS LE TRAITEMENT DES SURCHARGES PONDÉRALES DU PATRIMOINE, IL NE COMPTAIT PAS SES HEURES.

ALORS ? DU NEUF ?

RIEN... RIEN DU TOUT... AUCUN SIGNE DE MICHEL...

JE NE VAIS QUAND MÊME PAS ATTENDRE LA FIN DE LA GUERRE SUR CETTE PÉNICHE, COMME UNE POTICHE...

48

...ET C'EST PAS COMME ÇA QUE JE RETROUVERAI MATHILDE !

QU'EST-CE QUE TU VEUX FAIRE, MA PAUVRE FILLE ? TU NE PEUX MÊME PAS MARCHER.

ÉCOUTE, DEMAIN, J'IRAI AUX NOUVELLES...

JE FERAI LA LIGNE DE BUS. TON MICHEL A PEUT-ÊTRE REPRIS LE BOULOT...

ET LE DÉBARQUEMENT ? D'APRÈS FRANÇOIS, LES BOCHES N'AURAIENT TOUJOURS PAS "REBALANCÉ" LES ALLIÉS À LA MER, MAIS COMME IL S'EN FOUT COMME D'UN RÉSULTAT DE TOURNOI DE CRICKET, JE N'AI PAS PLUS DE DÉTAILS...

TU ME FATIGUES, AVEC TES AMÉRICAINS... ALLEZ, TIRE UNE CARTE.

UN PENDU ! ÇA COMMENCE BIEN ! REMARQUE, C'EST TOUT MOI... SUSPENDUE À UNE PATTE !

PAS D'AFFOLEMENT, C'EST LA SECONDE CARTE QUI DONNE SA VRAIE DIMENSION À LA PREMIÈRE.

DÉCIDÉMENT, ÇA NE S'ARRANGE PAS ! ...C'EST PAS LA MORT, CETTE HORREUR ?

MAIS NON, C'EST "L'ARCANE SANS NOM"... DERRIÈRE LE PENDU, C'EST EXCELLENT... C'EST SIGNE QU'IL VA Y AVOIR DES CHANGEMENTS IMPORTANTS DANS TA VIE !

ÇA, CÔTÉ CHANGEMENTS, JE SUIS DÉJÀ GÂTÉE !

PUIS LA FAUX, C'EST PRESQUE UNE FAUCILLE. ELLE EST ROUGE EN PLUS.

ET ALORS ?

ET ALORS, ÇA VEUT DIRE QUE TES PETITS COPAINS VONT PRENDRE LE POUVOIR... IL EST DIT QUE LA TROISIÈME CARTE APPORTE SON APPUI À LA SECONDE... VOYONS QUI SOUTIENT L'ARCANE DES SOVIETS.

"LE PAPE" ! ... AVEC LES COMMUNISTES ? T'ES SÛR QUE TU AS BIEN BATTU LES CARTES ?

LÀ, JE T'ACCORDE QUE C'EST UN PEU PARADOXAL... MAIS NE BOUDONS PAS L'APPUI DU CLERGÉ...

BON, JE TIRE LA DERNIÈRE...

L'IMPÉRATRICE.

ALORS, LÀ, C'EST LUMINEUX ! L'IMPÉRATRICE, C'EST MATHILDE, C'EST TA SŒUR... TU VOIS, FALLAIT PAS T'INQUIÉTER !

AH BON ! ET POURQUOI ÇA SERAIT MA SŒUR ?

50

MAIS ENFIN, VOYONS, C'EST LIMPIDE !... TU TIRES LA CARTE DU PAPE, ET JUSTE DER- RIÈRE L'IMPÉRATRICE.

OUI, ET ALORS ?

ET ALORS, LA SEULE IMPÉRATRICE DE L'HISTOIRE BÉNIE PAR UN PAPE S'APPELAIT MATHILDE ! TROUBLANTE COÏNCIDENCE, TU NE TROUVES PAS ?

DÉSOLÉE, MAIS JE NE CONNAIS PAS D'IMPÉRA- TRICE DE CE NOM !

ET LA FEMME DE NAPOLÉON, QU'EST- CE QUE TU EN FAIS ?

C'ÉTAIT PAS PLUTÔT JOSÉPHINE ?

ÇA, C'ÉTAIT SON SECOND PRÉNOM... QU'ELLE PRÉFÉRAIT D'AILLEURS.

PAR COQUETTERIE, ELLE L'A IMPOSÉ À LA COUR, MAIS EN RÉALITÉ, ELLE S'APPELAIT MATHILDE DE BEAUHARNAIS.

C'EST GENTIL DE TE DONNER AUTANT DE MAL, MAIS TU N'AS PAS DE CHANCE, MA SŒUR SE PRÉNOMME CÉCILE... MATHILDE, C'EST SON NOM DE RÉSISTANTE...

ET QUAND LES CARTES S'ENVOLENT, JE SUP- POSE QUE ÇA A UNE SIGNIFICATION ?

AH OUI ! ÇA VEUT DIRE QU'IL NE FAUT SURTOUT PAS PERDRE ESPOIR ! REGARDE, MOI, JE CROYAIS BIEN QUE TU NE ME TUTOIERAIS JAMAIS.

51

MA CHÈRE CÉCILE, SI CETTE LETTRE TE PARVIENT, CELA SERA GRÂCE À FRANÇOIS, UN TYPE PARTICULIER, UN DROIT COMMUN QUI N'EST NI DROIT NI COMMUN. ON FAIT UNE FINE ÉQUIPE TOUS LES DEUX. C'EST L'ALLIANCE DE LA FAUCILLE ET DU PIED DE BICHE...

... GRÂCE À LUI, JE SUIS EN SÉCURITÉ SUR L'"HIMALAYA"... ENFIN, JE L'ESPÈRE...

AU FAIT, C'EST BIZARRE QU'IL NE SOIT PAS ENCORE RENTRÉ.

POUR LA PREMIÈRE FOIS, JE M'INQUIÈTE POUR LUI.

J'APERÇOIS LA PETITE LUEUR ROUGE DE SA CIGARETTE! TOUT VA BIEN!...

... JE NE SAIS PAS SI LA PÊCHE A ÉTÉ BONNE, MAIS LE MARIN EST DE RETOUR.

J'AI BEAU SAVOIR QUE D'APRÈS LES "TAROTS DE MARSEILLE", IL NE FAUT PAS S'EN FAIRE POUR MATHILDE ... JE M'INQUIÈTE ENCORE UN PEU POUR CÉCILE.

52

58

LES SOURDES VIBRATIONS DU MOTEUR NE M'ONT PAS RÉVEILLÉE...IL EST AU MOINS DIX HEURES.

J'AI UNE LETTRE À CONFIER À FRANÇOIS! ...IL EST DÉJÀ PARTI ?

OH LÀ OUI! ÇA FAIT UNE PAYE!... ELLE A BIEN DORMI CE COUP-CI ?...TIENS, V'LÀ LA "NELLY" QUI DESCEND!

RENÉ, MÉFIE-TOI. LES BOCHES SONT À L'ÉCLUSE DE LA VILLETTE. J'AI L'IMPRESSION QU'ILS EN ONT APRÈS TOI!

QU'EST-CE QUE TU ME CHANTES ?

J'EN SAIS RIEN, JE COMPRENDS PAS L'ALLEMAND, MAIS ILS ONT PRONONCÉ PLUSIEURS FOIS LE NOM DE TON BATEAU!

ÇA Y EST, C'EST FOUTU! C'EST MICHEL! QUEL SALAUD! IL ÉTAIT LE SEUL À SAVOIR OÙ J'ÉTAIS!

HUGUETTE, PRENDS LE MACARON!

BON! C'EST PAS LE MOMENT DE PANIQUER.

TOUT EST DE MA FAUTE... À CAUSE DE MOI, VOUS ALLEZ TOUS ÊTRE FUSILLÉS.

MAIS ELLE VA PAS SE TAIRE ?

53

JEANNE, ÇA VA?

AH, FRANÇOIS!... C'EST PAS TROP TÔT!

QU'EST-CE QUI SE PASSE LÀ-HAUT? J'ENTENDS PLUS RIEN.

C'EST BON, TU PEUX SORTIR, ILS SONT PARTIS... ENFIN, PRESQUE.

ON DIRAIT QUE ÇA VA MIEUX, TA CHEVILLE!

OUI, JE LA SENS ENCORE, MAIS J'ARRIVE À POSER LE PIED...

C'EST LA BONNE NOUVELLE DE LA JOURNÉE.

LA MAUVAISE, C'EST QU'ON A UN BOCHE SUR LE POIL!

MANQUAIT PLUS QUE ÇA!

ILS ONT BESOIN DE L'HIMALAYA POUR TRANSPORTER JE NE SAIS QUOI.

LE PROBLÈME, C'EST QU'ILS ONT LAISSÉ UNE SENTINELLE POUR SURVEILLER LE CHARGEMENT.

MERDE, JE NE PEUX PLUS RESTER LÀ! ÇA SERAIT DE LA FOLIE!

MAIS SI, AU CONTRAIRE. POUR L'INSTANT, C'EST PEUT-ÊTRE L'ENDROIT OÙ TU RISQUES LE MOINS!...

...C'EST COMME SI TU TE CACHAIS DANS LA KOMMANDANTUR.

67

TU PLAISANTES? ET S'IL ME DEMANDE MES PAPIERS?

MAIS IL S'EN FOUT, DE TES PAPIERS, IL N'EST PAS LÀ POUR ÇA!

ALLEZ, VIENS, IL FAUT QU'IL S'HABITUE À NOUS VOIR.

C'EST SURTOUT MOI QUI VAIS AVOIR DU MAL À M'HABITUER!

TIENS, RENÉ S'EST DÉJÀ FAIT UN COPAIN!

AH, VOUS TOMBEZ BIEN!... IL FAUT QUE JE VOUS PRÉSENTE L'AUTRE ANDOUILLE!

IL A L'AIR COMPLÈTEMENT BOUCHÉ!...

ELLE, C'EST UNE COUSINE!... ELLE VOYAGE AVEC NOUS... POUR AIDER MA FEMME.

MY FRÄULEIN... ELLE ENCEINTE... ELLE BIENTÔT ACCOUCHER...

Y PIGE VRAIMENT RIEN!

COMMENT T'AS FAIT POUR GAGNER LA GUERRE EN ÉTANT AUSSI CON?

68

QUAND JE TE DISAIS QUE C'EST UNE ANDOUILLE...

ON VA TRINQUER ET IL POSE SON VERRE.

VOILÀ, REPRENDS TON GODET ! ALLEZ, À LA TIENNE, MON CON !...

PUIS À LA SANTÉ DU PETIT EN ESPÉRANT QU'IL N'AIT PAS TA GUEULE !

TU VEUX QUE JE TE L'ARRANGE, TA GUEULE, À COUPS DE CROSSE ? ... OU PEUT-ÊTRE CELLE DE TON BÉBÉ DANS LE BIDE DE TA FEMME ?

JE SUIS DE STRASBOURG, ABRUTI !

LES PRÉSENTATIONS SONT FAITES ! RENÉ N'A PAS EU DE CHANCE, IL A VOULU FAIRE DE L'ESPRIT AVEC UN TYPE QUI PARLE FRANÇAIS AUSSI BIEN QUE LUI ! ET POUR CAUSE, IL EST ALSACIEN.

NOUS AVONS QUITTÉ PARIS DEPUIS DEUX JOURS. FRANÇOIS PASSE SES JOURNÉES AVEC NOUS ET DISPARAÎT LA NUIT. IL SE FAIT UNE CLIENTÈLE DE PROVINCE ! QUELQUEFOIS, UN PROJET PLUS AMBITIEUX LE RAPPELLE À LA CAPITALE.

LES CONTACTS AVEC L'ALSACIEN SONT RÉDUITS À LEUR PLUS SIMPLE EXPRESSION.

TROIS FOIS PAR JOUR, IL VIENT SE FAIRE RÉCHAUFFER SA GAMELLE, SANS DESSERRER LES DENTS.

IL FAIT PEUR À TOUT LE MONDE, C'EST COMME UN DANGEREUX MOLOSSE QUE L'ON NOURRIT EN L'ABSENCE DE SES MAÎTRES, AVEC PRUDENCE ET APPRÉHENSION.

LE RESTE DE LA JOURNÉE, IL NE QUITTE PAS L'AVANT DU BATEAU QUE RENÉ A BAPTISÉ "ZONE OCCUPÉE".

HUGUETTE, PAR COQUETTERIE PATRIOTIQUE, A RETARDÉ LA PENDULE D'UNE HEURE, REVENANT AINSI À L'HEURE FRANÇAISE D'AVANT L'OCCUPATION.

LA LIGNE DE DÉMAR-CATION COUPE LA PÉNICHE APPROXIMA-TIVEMENT EN SON MILIEU. LA "ZONE LIBRE", HEUREUSEMENT, CONSERVE LA PARTIE VIVE DU TERRITOIRE, À SAVOIR LA MARQUISE ET LE CHÂTEAU ARRIÈRE.

NICOLAS JOUE UN RÔLE D'AMBASSADEUR SUR L'ENSEMBLE DE LA MÉTROPOLE.

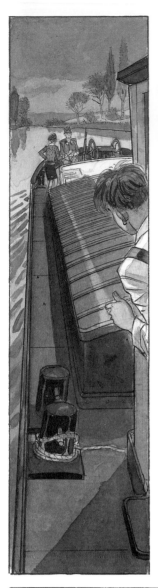

ALORS?

IL N'EN
SAIT RIEN.

C'EST TOUT?
IL N'A RIEN
AJOUTÉ?

SI, IL M'A DIT QUE ÇA POUVAIT BIEN
ÊTRE UN CHARGEMENT DE MERDE,
IL N'EN AVAIT RIEN À FOUTRE!

AH OUI, ET PUIS,
POUR TON VIN, IL
TROUVE QU'À DIX
FRANCS LE
LITRE...

NON! PAS LE LITRE...
LA BOUTEILLE!

OUI, BEN, À CE PRIX-LÀ, IL
PRÉFÈRE ENCORE BOIRE
SA PISSE!

MON DIEU,
QU'IL EST
GROSSIER!

LA GUERRE N'A PAS MOBILISÉ LES COLLINES DE L'YONNE. C'EST UNE CAMPAGNE EN CIVIL, COSSUE ET RASSURANTE, HABILLÉE
AVEC FANTAISIE DE LUZERNE AU VERT SOUTENU ET DE BLÉ CHAUD ET DORÉ. LE BRUIT DU MOTEUR BOUGONNE GENTIMENT ET ME
POUSSE À LA SOMNOLENCE DOUILLETTE. PUIS JE PENSE À CÉCILE, AU SALAUD QUI M'A DÉNONCÉE ET JE ME RÉVEILLE.
LE CAUCHEMAR, C'EST LA RÉALITÉ.

L'ALSACIEN N'EST PAS CAUSANT. SI LE JOUR IL RESTE CLOÎTRÉ DANS UN INQUIÉTANT SILENCE, IL SE RATTRAPE LA NUIT. DE L'AVANT DU BATEAU FUSENT QUELQUES PHRASES INCOHÉRENTES, QUELQUES JURONS, MOITIÉ EN ALLEMAND, MOITIÉ EN FRANÇAIS.

LE FRONT DE L'EST N'OCCUPE PLUS SES JOURNÉES, MAIS HABITE ENCORE SES NUITS, NOURRISSANT SES CAUCHEMARS DE VISIONS, MONSTRUEUSES, DE VIES FRACASSÉES.

IL AVAIT DÛ PERDRE LE SOMMEIL DANS LES RUINES DE STALINGRAD OU PEUT-ÊTRE SIMPLEMENT LA RAISON.

IL RÊVE OU IL EST COMPLÈTEMENT TARÉ ?

DORMAIT-IL VRAIMENT ? PERSONNE N'AVAIT LE CŒUR D'ALLER VÉRIFIER.

73

FRANÇOIS !

DÉJÀ RÉVEILLÉE ?

SI ON VEUT, JE N'AI PAS FERMÉ L'ŒIL !

ÇA, C'EST L'AIR PUR DE LA CAMPAGNE. QUAND ON N'EST PAS HABITUÉ...

TU PARLES, C'EST SURTOUT L'ALSACIEN ! LUI, C'EST L'AIR DE LA CAMPAGNE DE RUSSIE QUI NE LUI A PAS RÉUSSI !

IL EST COMPLÈTEMENT FÊLÉ, IL A BRAILLÉ LA MOITIÉ DE LA NUIT.

J'AVAIS UNE TROUILLE BLEUE QU'IL FASSE IRRUPTION DANS MA CABINE !

J'AVOUE QUE J'AURAIS ÉTÉ PLUS RASSURÉE SI TU AVAIS ÉTÉ PRÉSENT SUR LE BATEAU.

LA NUIT PROCHAINE, TU... ENFIN, T'ES OCCUPÉ ?

POURQUOI ?

...EH BIEN... PARCE QUE JE SERAIS PLUS TRANQUILLE SI TU DORMAIS SUR LA LA PÉNICHE...

AH, JE COMPRENDS !

MAIS C'EST JUSTE POUR TE RASSURER OU ÇA TE FERAIT PLAISIR ?

DISONS QUE ÇA ME FERAIT PLAISIR QUE TU ME RASSURES...

C'EST BÊTE, MOI C'EST LE CONTRAIRE...ÇA M'AURAIT RASSURÉ QUE ÇA TE FASSE PLAISIR !

TIENS, HUGUETTE EST DÉJÀ SUR LE PONT.

MES PAUVRES ENFANTS, J'AI PASSÉ UNE DE CES NUITS !...IL EST FOU FURIEUX, NOTRE ALSACIEN...ET PUIS GROSSIER, C'EST UNE HORREUR !...T'AS UNE MOTO, TOI, MAINTENANT ?

DEPUIS CETTE NUIT.

OUAH, ELLE EST UN PEU CHOUETTE !

TIENS, JEANNE, C'EST POUR TOI !...MAINTENANT QUE TU TROTTES COMME UN LAPIN.

MERCI, FRANÇOIS, ELLES SONT SPLENDIDES ! DIS DONC, TU TRAVAILLES DANS LES BEAUX QUARTIERS !...

... MAIS JE NE LES AI PAS VOLÉES. JE LES AI ACHETÉES, ET AVEC DES TICKETS, EN PLUS!

MERCI, FRANÇOIS.

DU COUP, J'EN AI PRIS UNE AUTRE PAIRE POUR NICOLAS.

MAIS TU ES TROP BRAVE, FRANÇOIS.

J'ESPÈRE QUE C'EST SA POINTURE.

DE TOUTE FAÇON, JE SUPPOSE QU'ON PEUT LES CHANGER.

PAS CELLES-LÀ, NON, JE LES AI PIQUÉES PENDANT QUE LA VENDEUSE RANGEAIT SES TICKETS.

AH, VOILÀ RENÉ.

OH, IL A DES PETITS YEUX.

PUTAIN, J'AI PASSÉ UNE NUIT D'ENFER! IL ME FOUT LES COPEAUX, L'AUTRE CINGLÉ... D'ICI QU'IL NOUS ZIGOUILLE TOUS!...

TIENS, JE T'AI AMENÉ UN PETIT REMONTANT.

CHÂTEAU LATOUR 1923!

BEN, MON SALAUD, T'AS TROUVÉ ÇA OÙ?

RUE CHAPTAL! ÇA PRENAIT LA POUSSIÈRE DANS UN CELLIER... À CÔTÉ DE LA MOTO... TIENS, À DEUX PAS DE TA LIBRAIRIE, JEANNE... AH OUI, POUR UN PEU, J'OUBLIAIS LE PLUS IMPORTANT: HIER, ELLE ÉTAIT OUVERTE.

C'EST PAS VRAI? ET TU M'ANNONCES ÇA COMME ÇA?

TU NE POUVAIS PAS LE DIRE PLUS TÔT?

MONSIEUR, S'IL VOUS PLAÎT... VOUS N'AVEZ RIEN SUR LE MUSÉE DU LOUVRE?

EN NEUF, JE NE VAIS PAS AVOIR GRAND-CHOSE EN RAYON...

PAR CONTRE, EN OCCASION... JE VAIS JETER UN COUP D'ŒIL. SI VOUS VOULEZ BIEN ME SUIVRE...

QU'EST-CE QUI S'EST PASSÉ, ON VOUS CROYAIT ARRÊTÉ...?

J'AI PERDU MA BELLE-SŒUR DANS LES BOMBARDEMENTS DE CAEN. J'AI DÛ FERMER TROIS JOURS.

PARDON, JE SUIS DÉSOLÉE.

JE VOUS LAISSE REGARDER TRANQUILLEMENT... POUR UNE FOIS QUE J'AI DU MONDE DANS LA BOUTIQUE...

J'ESPÉRAIS UN MESSAGE DE CÉCILE, C'EST UN PETIT MOT DE MICHEL. MA CHÈRE JEANNE, VOICI LES DERNIÈRES CONSIGNES. POUR L'INSTANT, LE PARTI NOUS DEMANDE DE NOUS FAIRE OUBLIER, DE NOUS METTRE AU VERT, DE QUITTER PARIS SI POSSIBLE. MARDI, J'AURAI UN CONTACT, DES CAMARADES POURRAIENT NOUS PLANQUER À LIMOGES!...

...SI TU AS CE MESSAGE À TEMPS, RENDEZ-VOUS MARDI À MIDI, MÉTRO LA CHAPELLE. J'AURAI, J'ESPÈRE, PLUS DE PRÉCISIONS À TE DONNER.

...POUR TA SŒUR, AUCUNE NOUVELLE. JE CRAINS LE PIRE!... LE PARTI EST SÛR DE SON ARRESTATION.

MA PAUVRE CÉCILE, JE TE LAISSE À MON TOUR UN PETIT MOT AVEC LE MAIGRE ESPOIR QUE TU LE LISES UN JOUR!

"SOIS PRUDENTE"! CES DEUX MOTS ME FICHENT LA TROUILLE! EN GRIMPANT L'ESCALIER DU MÉTRO, J'AI L'IMPRESSION DE MONTER À L'ÉCHAFAUD!

PARCE QUE SI RENÉ A RAISON, SI MICHEL EST LE SALAUD QU'IL SOUPÇONNE, LÀ JE COURS ME METTRE LA TÊTE SUR LE BILLOT!

ET PUIS NON! MICHEL N'EST PAS UN SALAUD!

ET ME DÉNONCER PAR VENGEANCE, PAR AMOUR-PROPRE, NON, C'EST PAS MICHEL, ÇA! FAUT ÊTRE LE DERNIER DES SALOPARDS POUR FAIRE UN TRUC PAREIL!... PAR CONTRE, MA SŒUR, IL S'EN FOUT COMPLÈTEMENT!...

...ET IL EST QUAND MÊME ASSEZ FUMIER POUR L'ABANDONNER À SON TRISTE SORT!

...ELLE EST ARRÊTÉE? PAS DE VEINE, TANT PIS POUR ELLE! LES RESCAPÉS, EN PROVINCE! À LIMOGES, LES CHANCEUX! ILS PEUVENT TOUJOURS M'ATTENDRE, À LIMOGES! IL VA M'ENTENDRE, CE SALAUD DE MICHEL!

MERDE! MICHEL!

81

BONJOUR, COMMISSAIRE !

QU'EST-CE QUI VOUS PREND ?!

QU'EST-CE QUE VOUS VOULEZ ?

TON FLINGUE, POUR COMMENCER !

BOUGE PAS, J'TE DIS ! GARDE TES BRAS BIEN TENDUS !... VOILÀ ! COMME POUR SALUER TES MAÎTRES...

PAR LA MÊME OCCASION, ÇA VA TE LAVER LES MAINS !

AH, ÇA Y EST, JE VOUS RECONNAIS,... C'ÉTAIT VOUS SUR LES TOITS AVEC LA FILLE AU BÉRET ROUGE...

DIS DONC, LA TROUILLE, ÇA TE REND POLI !

...DANS TON BUREAU, TU ME TUTOYAIS ! ... MAIS POUR EN REVENIR À LA FILLE, TU L'AURAIS PAS BALANCÉE AUX ALLEMANDS ?

MAIS PAS DU TOUT, J'AVAIS MÊME MIS SON DOSSIER DE CÔTÉ...

MAIS C'EST MON ADJOINT... IL L'A REFILÉ AUX BOCHES POUR FAIRE DU ZÈLE...

... LES "SALAUDS", LES "BOCHES", T'AS UNE FAÇON DE PARLER DE TES AMIS !

ÇA N'A JAMAIS ÉTÉ MES AMIS !... ON A BIEN ÉTÉ OBLIGÉS DE TRAVAILLER UN PEU POUR EUX, MAIS C'ÉTAIT PAS DE GAÎTÉ DE CŒUR... DÈS QU'ON POUVAIT FREINER DES QUATRE FERS...

...LES SALAUDS, J'ESPÈRE QU'ILS NE L'ONT PAS ARRÊTÉE !

... D'AILLEURS, DÈS QUE J'AI EU L'OCCASION DE RENDRE SERVICE À LA RÉSISTANCE...

AÏ, PARCE QUE MAINTENANT, TU FAIS PARTIE DE LA RÉSISTANCE !...

C'EST UN BIEN GRAND MOT... MAIS QUAND JE PEUX LEUR FILER UN PETIT COUP DE MAIN...

BEN, ÇA TOMBE RUDEMENT BIEN, DIS DONC !

MICHEL S'EST FAIT PRENDRE DANS UNE RAFLE !...

MOI, DE MON CÔTÉ, J'AI DU NEUF. TU TE SOUVIENS DU COMMISSAIRE ?

TU COMPTES PAS SUR LUI POUR NOUS AIDER, QUAND MÊME ?

MAIS SI, C'EST UN ENFOIRÉ DE PREMIÈRE, ÇA NE FAIT AUCUN DOUTE, MAIS JUSTEMENT, IL A PAS MAL DE CHOSES À SE FAIRE PARDONNER...

IL NE LAISSERA PAS PASSER L'OCCASION.

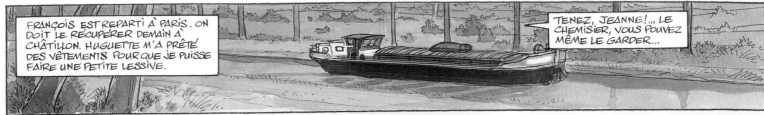

FRANÇOIS EST REPARTI À PARIS. ON DOIT LE RÉCUPÉRER DEMAIN À CHÂTILLON. HUGUETTE M'A PRÊTÉ DES VÊTEMENTS POUR QUE JE PUISSE FAIRE UNE PETITE LESSIVE.

TENEZ, JEANNE!... LE CHEMISIER, VOUS POUVEZ MÊME LE GARDER...

DE TOUTE FAÇON, JE NE RENTRE PLUS DEDANS.

MAIS ELLE EST SUPERBE.

LE BLEU, ÇA VOUS RÉUSSIT!... IL VOUS VA MÊME MIEUX QU'À MOI!

SI CE N'ÉTAIT QU'UNE QUESTION DE COULEURS...

MERCI, RENÉ!

ILS NE DOIVENT PAS ÊTRE LOIN, CES FUMIERS! FOUTEZ-MOI TOUTES CES BICOQUES CUL PAR-DESSUS TÊTE!

QU'EST-CE QU'ILS CHERCHENT?...

COMMENT VEUX-TU QUE JE LE SACHE!?...

JEANNE, TU DEVRAIS TE PLANQUER DANS LE PUITS DE CHAÎNE...LE TEMPS QU'ON PASSE LE VILLAGE.

DANS LE PUITS DE CHAÎNE? MAIS IL Y A L'AUTRE À L'AVANT!

AH, MERDE. JE L'OUBLIAIS, CE CON-LÀ!

MAIS ILS N'EN ONT PAS APRÈS NOUS...

POURQUOI VEUX-TU QU'ILS NOUS DEMANDENT QUELQUE CHOSE?

MESSIEURS, DAMES, VOS PAPIERS.

84

C'EST BON !

LA DEMOISELLE, ON PEUT VOIR SES PAPIERS ?

ALORS, ÇA VIENT ?

AH, C'EST STUPIDE... J'ÉTAIS POURTANT SÛRE DE LES AVOIR SUR MOI... J'AI DÛ LES LAISSER...

ALLEZ, ON L'EMBARQUE !

NON, ATTENDEZ... C'EST IDIOT...

PUIS JE DOIS AIDER HUGUETTE, ELLE DOIT BIENTÔT ACCOUCHER ET...

ON N'EN A RIEN À FOUTRE ! T'AS PAS DE PAPIERS, TU NOUS SUIS !

MESSIEURS, MESSIEURS... UNE SECONDE...

VOUS NE POUVEZ PAS ME FAIRE ÇA !

JE NE ME SUIS PAS GELÉ LES COUILLES SUR LE FRONT RUSSE POUR QU'ON ME PIQUE MA FIANCÉE À LA PREMIÈRE PERMISSION.

EXCUSE-NOUS, ON POUVAIT PAS DEVINER.

BEN, MAINTENANT, T'ES AU COURANT !...MAIS TU VEUX PEUT-ÊTRE VOIR LES MIENS, DE PAPIERS ?...

NON, NON, TU PLAISANTES.

OUI, JE PLAISANTE.

ALLEZ, VIENS CHÉRIE, ILS ONT DU BOULOT, ON NE VA PAS LES DÉRANGER PLUS LONGTEMPS.

ÇA Y EST, ILS SONT
DESCENDUS!

EN TOUT CAS,
MERCI.

ALORS, COMME ÇA, T'AS
PAS DE PAPIERS?...

SI, MAIS JE... ILS DOIVENT ÊTRE
DANS MA CABINE.

PRENDS-MOI POUR UN CON! MOI,
JE DIS QUE TU TE PLANQUES!...

MAIS JE VOUS
ASSURE... JE...

TA GUEULE!

J'AI PIGÉ TON PETIT MANÈGE
DEPUIS LE DÉBUT!...TU CREVAIS
DE TROUILLE DEVANT LES
MILICIENS!...

TU PEUX PAS IMAGINER COMME ÇA ME
PLAÎT, UNE PETITE MENTEUSE TOUTE
TREMBLANTE, MOITE DE TROUILLE!...
PRÊTE À SE FAIRE PARDONNER SES
MENSONGES.

OH, MAIS ELLE A
DU TEMPÉRAMENT!

TU VEUX JOUER?
DÉCIDÉMENT, TU ME PLAÎS!
ON VA SE RÉGALER, TOUS
LES DEUX!...MAIS POURQUOI
TU TREMBLES, PUISQUE TU
AS LE FUSIL?

AH, T'ES EN TRAIN DE TE DIRE:
"Y A MALDONNE, J'AI LE FLINGUE
ET J'AI ENCORE PLUS PEUR QU'AVANT"?

BEN, QU'EST-CE QUE TU ATTENDS ? ALLEZ... TIRE !

ALLEZ, DONNE ÇA. JE VAIS TE FACILITER LES CHOSES !...

DÉJÀ, FAUT QUE TU METTES UNE BALLE DANS LE CANON, MA CHÉRIE...

VAS-Y, PRENDS-LE. IL EST CHARGÉ.

TU VAS VOIR. C'EST PAS FACILE DE BUTER QUELQU'UN, MÊME UN SALAUD COMME MOI !...

CROIS-MOI, C'EST PAS UN BOULOT POUR TOI...

MAIS T'AS RAISON, FAUT ESSAYER.

TU SAIS PAS, ON VA FAIRE UN TRUC, ÇA DEVRAIT TE PLAIRE...

JE VAIS FUMER MA CIGARETTE TRANQUILLEMENT, C'EST LE TEMPS QUE JE VAIS TE LAISSER POUR ME DESCENDRE !

MAIS SI T'AS PAS TIRÉ QUAND J'ÉCRASERAI MA CLOPE, ALORS JE FERAI CE QUE JE VEUX AVEC TOI !...TU VAS VOIR, C'EST TRÈS EXCITANT COMME PETIT JEU.

C'EST PEUT-ÊTRE MA DERNIÈRE...

NON, TU N'Y CROIS PAS NON PLUS... SI TU TIRES, T'IMAGINES DANS QUELLE MERDE TU METS TES AMIS...

...UNE BELLE FAÇON DE LES REMERCIER DE T'AVOIR PLANQUÉE...

RENÉ ET HUGUETTE FUSILLÉS !...APRÈS AVOIR ÉTÉ TORTURÉS...ET DEVANT LE GAMIN, SI ÇA SE TROUVE...IL PARAÎT QU'ILS ADORENT FAIRE ÇA...

AH, TU POURRAS TE DIRE:"J'AI FAIT DU BEAU BOULOT"!...

OH, PUTAIN !

PUTAIN, ELLE L'A
PAS LOUPÉ !

NOM DE DIEU
DE NOM
DE DIEU !

QU'EST-CE QUI SE PASSE ?

IL SE PASSE QU'ELLE
A RIEN TROUVÉ DE MIEUX
QUE DE BUTER LE BOCHE !

SEIGNEUR JÉSUS, C'EST
PAS DIEU POSSIBLE !...
MAIS POURQUOI ILS SE
SONT DISPUTÉS ?

HUGUETTE, TAIS-TOI !
S'IL TE PLAÎT,
TAIS-TOI !

91

D'ÉCLUSE EN ÉCLUSE, NOUS POURSUIVIONS NOTRE FUITE EN AVANT. CHACUN DANS SON SILENCE CHERCHAIT UNE SOLUTION INSAISISSABLE.

PARAÎT QU'Y A EU DU GRABUGE À CHÂTILLON ?

FINALEMENT, LES MARINIERS, VOUS ÊTES LES ROIS DU PÉTROLE, JAMAIS AU MÊME ENDROIT, ÇA PERMET D'ÉVITER LES EMMERDES !

Y PARAÎT.

PAS TOUJOURS...

J'AI BIEN CRU QU'ON ALLAIT SE PRENDRE UN ORAGE, PUIS ÇA S'EST DÉGAGÉ...

LES MARTINETS VOLENT PLUS HAUT, C'EST PLUTÔT BON SIGNE.

PAS TOUJOURS.

QU'EST-CE QU'ON VA FAIRE ? ON PEUT PAS LE LAISSER COMME ÇA !... ET TOUT CE SANG, IL SE VIDE COMME UN LAPIN, C'EST DÉGOÛTANT !...

ROOH, QUELLE TUILE !

OUI, BEN POUR L'INSTANT, ON TOUCHE À RIEN ! C'EST PAS LA PEINE D'ENCHAÎNER LES CONNERIES !

JE SUIS MÊME PAS SÛRE DE RÉCUPÉRER MON PARQUET...

J'AI QUAND MÊME ENVIE DE PASSER UN COUP DE SERPILLIÈRE...

MAIS TU NOUS EMMERDES AVEC TON PLANCHER ! AH, TU RÉALISES VRAIMENT PAS !

ON SERA DEVANT LE PELOTON D'EXÉCUTION QU'ELLE NOUS FERA ENCORE CHIER AVEC SON MÉNAGE.

95

NICOLAS, FILE À L'ÉCLUSE!...TU DIS QU'ON S'EST FAIT MITRAILLER, QU'ON A UNE VICTIME!...

JE CROIS QUE C'EST PAS LA PEINE... REGARDE!

VOUS AVEZ DES BLESSÉS?

JE PEUX FAIRE QUELQUE CHOSE POUR VOUS?

POUR LUI, J'AI BIEN PEUR QU'IL N'Y AIT PLUS GRAND-CHOSE À FAIRE...

...À PART NOUS EN DÉBARRASSER!

ET LA DAME, VOUS ÊTES SÛRS QU'ELLE N'A RIEN?

HUGUETTE!

JE...JE CROIS QUE JE VAIS ACCOUCHER!...

MA PAUVRE HUGUETTE, T'EN LOUPES PAS UNE!

RENÉ ET NICOLAS NE
VEULENT PAS QUITTER
HUGUETTE. TOUT LE
MONDE S'ENTASSE À
L'ARRIÈRE DE L'AMBU-
LANCE. LE CHAUFFEUR
A ACCEPTÉ L'ALSACIEN
À CÔTÉ DE LUI.

ÇA DOIT ÊTRE UN OPTIMISTE, LE NOUVEAU-NÉ...
POUR ÊTRE PRESSÉ DE METTRE LE NEZ
DEHORS EN CE MOMENT.

JEANNE... ÇA NE
VA PAS ?

ÇA VA
PASSER.

PLEURE UN BON COUP, VA... TIENS,
TU VEUX UNE BONNE NOUVELLE ?

J'AI L'ADRESSE DU PROCUREUR !...
DEMAIN À CETTE HEURE-CI, JE
SERAI EN TRAIN DE CAMBRIOLER
CHEZ LUI.

OH ! C'EST VRAI ?

JE T'EN POSE
DES PROBLÈMES...

HIMALAYA

CE SOIR, JE COMPRENDS À QUOI ON RECONNAÎT UN VOLEUR HA-
BILE : IL PREND UNE PLACE DANS VOTRE VIE SANS QU'ON S'EN
APERÇOIVE...

QUELLE HEURE EST-IL ?

JE SAIS PAS. MA MONTRE EST ARRÊTÉE... HUIT HEURES VINGT À LA PENDULE... JE CROYAIS QU'IL ÉTAIT PLUS TARD...

TIENS, LE PETIT DOIT ÊTRE NÉ À CETTE HEURE-CI !...

QUAND IL VA VOIR SUR QUELLE PLANÈTE DE MERDE IL EST TOMBÉ...

...IL RISQUE DE SE METTRE À PICOLER DÈS LA SORTIE DE LA MATERNITÉ...

...ET À TROIS ANS, IL FERA LA TOURNÉE DES BARS AVEC RENÉ !...

CE SOIR, JE TE PROMETS DES NOUVELLES DE TA SŒUR.

SI TU POUVAIS DIRE VRAI.

ET SON PETIT COPAIN, IL S'EST PEUT-ÊTRE FAIT POIRER, LUI AUSSI.

C'EST POSSIBLE. IL DEVAIT MONTER À PARIS, TIENS, LE JOUR DE MON ARRESTATION...

EN CAMBRIOLANT CHEZ LE PROCUREUR, J'ESSAIERAI D'AVOIR DES NOUVELLES... C'EST QUOI, SON NOM ?

UNE VOCATION, SI TU PRÉFÈRES. TU SAIS, ON TRAVAILLE POUR LA MÊME CAUSE, PRENDRE AUX RICHES POUR DONNER AUX PAUVRES... SIMPLEMENT, MOI, J'AI SUPPRIMÉ LES INTERMÉDIAIRES !

SARLAT, JULIEN SARLAT...TU SERAS PRUDENT ? TU ME PROMETS ?

JE CONNAIS MON MÉTIER.

AH ! PARCE QUE VOLEUR, C'EST UN MÉTIER, MAINTENANT ?

TU MANQUES PAS D'AIR !

FRANCHEMENT, IL N'Y A PRATIQUEMENT PAS DE DIFFÉRENCES ENTRE UN COMMUNISTE ET MOI...

À QUELQUES NUANCES PRÈS...

LESQUELLES ?

JE SAIS PAS, MOI. DISONS QUE TOI, TU PENSES D'ABORD À TA PETITE PERSONNE. UN BON COMMUNISTE PENSE D'ABORD AUX AUTRES.

NON, VOUS LES COMMUNISTES, VOUS NE PENSEZ PAS D'ABORD AUX AUTRES, MAIS À LA PLACE DES AUTRES !...

ATTENDS QU'ON PRENNE LE POUVOIR, JE TE DRESSERAI, MOI !...

TU VOIS, QU'EST-CE QUE JE DISAIS !...

T'ES QU'UN PETIT VOLEUR ÉGOÏSTE.

DIS DONC, EN ATTENDANT, T'ES BIEN CONTENTE D'EN AVOIR UN SOUS LA MAIN !

D'AILLEURS, FAUT PAS QUE JE LAISSE PASSER L'HEURE... J'AI PAS LOIN DE TROIS HEURES DE ROUTE.

S'AGIT PAS D'ÊTRE EN RETARD !... TU VOIS QUE C'EST UN MÉTIER...

J'APPRÉHENDE DE RESTER SEULE SUR CETTE PÉNICHE, AVEC SES CRAQUEMENTS... ELLE AUSSI A PEUT-ÊTRE DU MAL À DIGÉRER LES ÉVÉNEMENTS DE CES DERNIÈRES HEURES.

SI J'AVAIS UN BON BOUQUIN... MAIS RENÉ, HUGUETTE ET LA LITTÉRATURE, C'EST PAS UN MÉNAGE À TROIS !... IL N'Y A PAS UN SEUL LIVRE SUR L'HIMALAYA ! JE TENTE L'ÉCLUSE...

J'AI PEUT-ÊTRE QUELQUE CHOSE POUR VOUS, MAIS FAUDRA PAS ME LE PERDRE !...

C'ÉTAIT LE LIVRE PRÉFÉRÉ DE MON MARI, VOUS PENSEZ SI J'Y TIENS !

"CYRANO DE BERGERAC"... J'AI BIEN DÛ LIRE ÇA AU COLLÈGE... MAIS À PART LA TIRADE DES NEZ, JE NE ME SOUVIENS PLUS DE RIEN... Y PARAÎT QUE C'EST PAS MAL...

C'EST MÊME TRÈS BIEN...

J'ENTENDS DES PAS !... DÉJÀ FRANÇOIS ? C'EST PAS POSSIBLE !...

OH, JEANNE...

CÉCILE ! MA CÉCILE ! T'ES BIEN LÀ !... MAIS D'OÙ TU SORS ?
...

JE T'AI CRUE... ENFIN... TU PEUX PAS IMAGINER LE MOURON QUE JE ME SUIS FAIT.

COMMENT M'AS-TU RETROUVÉE ?

EN REMONTANT DE BRIVE, HEUREUSEMENT, JE SUIS PASSÉE À LA LIBRAIRIE...

ET JE SUIS TOMBÉE SUR TON PETIT MOT... T'AS RIEN À BOIRE ?

SI, BIEN SÛR !... MAIS DANS MA LETTRE, J'INDIQUAIS JUSTE LE NOM DU BATEAU... COMMENT T'AS FAIT POUR ARRIVER JUSQU'ICI ?

ÇA N'A PAS ÉTÉ DIFFICILE...

EN INTERROGEANT LES MARINIERS, D'ÉCLUSE EN ÉCLUSE... NON, LE PLUS DUR, C'ÉTAIT DE FAIRE LE TRAJET EN VÉLO!... ÇA A BEAU ÊTRE PLAT...

MAIS AU FAIT, QU'EST-CE QUE TU ALLAIS FAIRE À BRIVE?

CHERCHER JULIEN.

AH BON? JE CROYAIS QUE C'ÉTAIT LUI QUI DEVAIT TE REJOINDRE À PARIS...

CALME-TOI, CALME-TOI!... QU'EST-CE QUI S'EST PASSÉ?

IL A ÉTÉ ARRÊ-TÉ?... C'EST ÇA?

NON, NON... SON TRAIN A ÉTÉ BOMBARDÉ...

À L'HÔPITAL DE BRIVE... ILS... ILS M'ONT DIT...

S'IL EST À BRIVE, IL S'EN SORTIRA. C'EST UN BON HÔPITAL. QU'EST-CE QU'ILS T'ONT DIT?

... ILS M'ONT DIT... QU'IL N'AVAIT PAS SOUFFERT...

OH, MA PAUVRE!

ET TOI, JEANNE ? RACONTE...

JE VAIS T'EXPLIQUER, C'EST UN PEU COMPLIQUÉ...

JE VOUDRAIS PAS INSISTER, MAIS T'AS VRAIMENT RIEN À BOIRE ?

OH OUI, MA PAUVRE, PARDON ! MAIS RENTRE... RESTE PAS LÀ...

ATTENDS, JE VAIS RANGER MON VÉLO.

ÇA ME GÊNERAIT QU'ON ME LE FAUCHE...

C'EST CELUI DU LIBRAIRE.

TU VEUX BOIRE DU CHAUD OU DU FROID ?...TU DOIS MOURIR DE FAIM !...

TIENS, BOIS DÉJÀ UN COUP DE BOR-DEAUX, ÇA VA TE FAIRE DU BIEN.

...DU COUP, JE SAIS MÊME PLUS PAR OÙ COMMENCER...OUI... ALORS, LE CINQ JUIN AU SOIR, ON FRAPPE À MA PORTE...

...ET C'EST COMME ÇA QUE J'AI RENCONTRÉ RENÉ ET HUGUETTE...MAIS TU DEVRAIS ALLER TE COUCHER. JE POURSUIVRAI DEMAIN.

NON, VAS-Y... CONTINUE, JE T'ÉCOUTE.

UNE FOIS COUCHÉE, CÉCILE N'AVAIT PLUS ENVIE DE DORMIR. NOUS PARLIONS TOUT BAS, COMME GAMINES NOUS CHUCHOTIONS NOS PETITS SECRETS.

C'EST JULIEN QUI M'A SAUVÉE. SANS SON ACCIDENT, JE NE DESCENDAIS PAS À BRIVE, LES BOCHES M'ARRÊTAIENT... J'Y PENSE TOUS LES JOURS AVANT DE M'ENDORMIR...OU PLUTÔT AVANT DE NE PAS DORMIR...

MAIS LES CENT TRENTE KILOMÈTRES À BICYCLETTE ONT REDONNÉ SA PLACE AU SOMMEIL.

QUAND JE PENSE QUE MON PAUVRE FRANÇOIS EST EN TRAIN DE RETOURNER LE BUREAU DU PROCUREUR PENDANT QUE CÉCILE DORT TRANQUILLEMENT DERRIÈRE MOI !... JE L'AI ENVOYÉ CAMBRIOLER POUR RIEN !...

...ENFIN, JE LUI FAIS CONFIANCE POUR SE DÉDOMMAGER SUR PLACE. ÇA M'ÉTONNERAIT QU'IL RESSORTE DU PAVILLON LES MAINS DANS LES POCHES !

MERDE ! C'EST PAS VRAI ! LE SALAUD QUI M'A DÉNONCÉE A PIQUÉ SA TIRADE DANS "CYRANO" ! ET AU DUC DE GUICHE, S'IL VOUS PLAÎT !

"ON A MILLE PETITS DÉGOÛTS DE SOI DONT LE TOTAL NE FAIT PAS UN REMORDS MAIS UNE GÊNE OBSCURE !" "..." "LA LUTTE CONTRE LE MARCHÉ NOIR EST À CE PRIX", ÇA, C'EST L'AUTRE SALAUD QUI L'A RAJOUTÉ !...

TU PARLES D'UNE SURPRISE !... ELLE EST PAS MAL, CELLE-LÀ !

104

QUAND JE VAIS RA-
CONTER ÇA À FRAN-
ÇOIS !... QUOIQUE
POUR LUI, "CYRANO",
IL DOIT PENSER QUE
C'EST UNE MARQUE
D'APÉRITIF !... TIENS,
JUSTEMENT, JE
CROIS QU'IL ARRIVE,
J'ENTENDS UN BRUIT
DE MOTEUR.

C'EST...
C'EST VOUS ?

EH OUI, DÉSOLÉ, J'IMAGINE
VOTRE DÉCEPTION...

OÙ EST
FRANÇOIS ?

IL A ÉTÉ
ARRÊTÉ !...

POURQUOI VOUS NE
DITES PAS : "JE L'AI
FAIT ARRÊTER !..." ?

ON N'AURAIT JAMAIS DÛ
VOUS FAIRE CONFIANCE.

QUI C'EST ?

UN FLIC, UN SALE FLIC QUI
VIENT NOUS ARRÊTER !...

SI J'ÉTAIS VENU POUR
ÇA, VOUS PENSEZ QUE JE
SERAIS VENU SEUL ?

POUR FRANÇOIS, JE VOUS
RÉPÈTE QUE JE NE SUIS
PAS DANS LE COUP !... C'EST
UN COLLÈGUE QUI M'A
PRÉVENU !

JE COMPRENDS PAS, JE LUI
AVAIS BIEN PRÉCISÉ QU'IL
DEVAIT DÉGUERPIR AVANT
MINUIT.

OUI, JE SAIS, LE
PROCUREUR DEVAIT
DÎNER À L'EXTÉRIEUR.

C'EST CE QU'IL
A FAIT !...

ET IL A TROUVÉ
FRANÇOIS DANS
SON BUREAU À
MINUIT VINGT-
DEUX. J'AI LE
RAPPORT DES
COLLÈGUES,
C'EST INVRAI-
SEMBLABLE.

S'IL S'EST BASÉ SUR LA PENDULE, C'EST PAS ÉTONNANT, ELLE A UNE HEURE DE RETARD!...

MERDE!... C'EST À CAUSE D'HUGUETTE! ELLE METTAIT UN POINT D'HONNEUR À RESTER À L'HEURE FRANÇAISE...

MAIS VOUS ALLEZ LE SORTIR DE LÀ!... ÇA DOIT PAS ÊTRE TRÈS COMPLIQUÉ POUR UN COMMISSAIRE.

S'IL ÉTAIT DANS UNE PRISON FRANÇAISE, ÉVIDEMMENT, ON POURRAIT LE FAIRE ÉVADER, MAIS LE PROCUREUR, C'EST UN GROS BONNET... IL EST CENSÉ ASSURER LA SÉCURITÉ DE L'ÉTAT.

...IL EST DIRECTEMENT SOUS LA COUPE DES BOCHES. JE VAIS ESSAYER DE LE FAIRE TRANSFÉRER CHEZ NOUS, MAIS C'EST PAS GAGNÉ.

IL A ÉTÉ PIQUÉ LE NEZ DANS LES DOSSIERS CONCERNANT LA RÉSISTANCE! ...

VOTRE FRANÇOIS, IL A BEAU ÊTRE À L'HEURE FRANÇAISE, IL EST DANS UNE PRISON ALLEMANDE...

...ET LES ALLEMANDS NE VONT PAS LE LÂCHER COMME ÇA!

IL N'Y A PAS DE TEMPS À PERDRE. POUR LE SORTIR DE LÀ, JE VAIS AVOIR BESOIN DE VOUS.

QU'EST-CE QUE JE DEVRAIS FAIRE?

ME FAIRE CONFIANCE.

C'EST PAS FACILE.

MON CHER COMMISSAIRE, SI VOUS NE M'AMENEZ PAS UNE NOUVELLE PENSIONNAIRE, QUE PUIS-JE POUR VOUS ?

JUSTEMENT, ÇA SERAIT PLUTÔT POUR VOUS EMPRUNTER UN DE VOS PRISONNIERS...

VOILÀ, CETTE FEMME EST ACCUSÉE DE MEURTRE, UNE SOMBRE HISTOIRE D'ADULTÈRE BIEN LOIN DE VOS PRÉOCCUPATIONS.

ET ALORS ?

...ALORS, ELLE ACCUSE UN CERTAIN FRANÇOIS MICHAUD D'EN ÊTRE L'AUTEUR...

ET CE MICHAUD EST ICI ? VOUS ÊTES SÛR ?

CERTAIN ! ALORS, J'AIMERAIS VOUS L'EMPRUNTER ...DEUX OU TROIS JOURS ... LE TEMPS D'ÉCLAIRCIR CETTE AFFAIRE...

JE VAIS VOIR CE QUE JE PEUX FAIRE.

ÇA VA S'ARRANGER, IL M'A À LA BONNE.

OUI, J'AI VU. D'AILLEURS, FÉLICITATIONS.

VOTRE MICHAUD EST UN DANGEREUX TERRORISTE. JE NE PEUX RIEN POUR VOUS !... DÉSOLÉ !

LAISSEZ-LE-MOI JUSTE TROIS JOURS.

...SI CE MICHAUD EST UN TERRORISTE, C'EST PEUT-ÊTRE AUSSI UN ASSASSIN,... SI ÇA SE TROUVE, CETTE FILLE EST INNOCENTE.

N'INSISTEZ PAS!

D'AILLEURS, ÇA NE DÉPEND PAS DE MOI,... LA SEULE CHOSE QUE JE PUISSE FAIRE, C'EST VOUS PERMETTRE DE L'INTERROGER ICI.

...MAIS CETTE JEUNE FEMME RISQUE PEUT-ÊTRE LA GUILLOTINE À CAUSE DE LUI... LAISSEZ-LE-MOI DEUX PETITS JOURS.

JE VOUS RÉPÈTE QUE C'EST IMPOSSIBLE!

T'AS PAS BESOIN DE MOI! C'EST LA CELLULE EN FACE DE L'ESCALIER... DIS-LUI BIEN QU'ON VA TOUT FAIRE POUR LE SORTIR DE LÀ!

TIENS, JE T'ENLÈVE LES BRACELETS!

FRANÇOIS!

JEANNE ! MAIS QU'EST-CE QUE TU FOUS ICI ? ILS T'ONT ARRÊTÉE ?

MAIS NON, NE T'INQUIÈTE PAS... C'EST UNE COMBINE DU COMMISSAIRE, ON VA TE SORTIR DE LÀ !...

MAIS QU'EST-CE QU'ILS T'ONT FAIT ?... LES SALAUDS !...

NE ME REGARDE PAS ! ÉPARGNE-MOI AU MOINS ÇA !...

MON PAUVRE FRANÇOIS, ON VA SE DÉBROUILLER POUR TE FAIRE TRANSFÉRER !

TIENS BON, MON FRANÇOIS... TIENS BON !

C'EST TROP TARD... IL Y A UN DÉPART CE SOIR POUR L'ALLEMAGNE ! J'AI BIEN PEUR DE FAIRE PARTIE DU VOYAGE.

OH NON !

MON PAUVRE !... TOUT ÇA, C'EST À CAUSE DE MOI...

J'AURAIS JAMAIS DÛ TE DEMANDER CE CAMBRIOLAGE.

109

PAS D'AFFOLEMENT, LES BOCHES SONT DÉBORDÉS, JE RE-VIENDRAI À LA CHARGE POUR LE FAIRE TRANSFÉRER!...

ATTENDS, IL N'EST PAS ENCORE EN ALLEMAGNE!...

...ET PUIS, AVEC TOUS LES BOMBARDEMENTS, ÇA M'ÉTONNERAIT QU'IL Y AIT BEAUCOUP DE TRAINS QUI PARTENT.

PAS D'AFFOLEMENT, LES BOCHES SONT

MA CHÈRE CÉCILE, EN CETTE FIN AOÛT, LA CONTAGION DU BRASSARD FFI DOIT SURPRENDRE LES RÉSISTANTS DE LA PREMIÈRE HEURE, C'EST UNE ÉPIDÉMIE...

À COMMENCER PAR LE COMMISSAIRE, IL EST PASSÉ DIVISIONNAIRE AVEC LA DÉLICATE MISSION D'ASSAINIR LES SERVICES DE POLICE...

LE NOUVEAU MONDE À CONSTRUIRE DOIT EXCLURE LA BARBARIE, ON SAIT DÉJÀ QU'IL SE PASSERA DE LA JUSTICE !

NE SOYONS PAS TROP SÉVÈRES, LE COMMISSAIRE A OBTENU POUR RENÉ ET HUGUETTE UN POSTE DE CONCIERGES AUX ARCHIVES NATIONALES, LA PERTE DE LEUR PÉNICHE SABOTÉE PAR LES ALLEMANDS FUT UN COUP BIEN DUR POUR EUX..!

JE T'ENVOIE UNE PHOTO DE LEUR PETITE FAMILLE, LE BÉBÉ EST EN PLEINE FORME ET PÈSE DÉJÀ PLUS DE DIX LIVRES !...ILS L'ONT BAPTISÉ FRANÇOIS.

CE MATIN, C'EST UN COPAIN DU PARTI QUI M'A DIT QUE TU BOSSAIS ICI...JE SUIS VENU DIRECTEMENT.

TU TE SOUVIENS LA DERNIÈRE FOIS QU'ON S'EST VUS? C'ÉTAIT SUR LE QUAI DU MÉTRO... T'AVAIS L'AIR TELLEMENT MALHEUREUSE QUE JE ME FASSE PINCER...

C'EST MARRANT, CE REGARD, IL M'A AIDÉ À TENIR LE COUP DANS LE CAMP. POUR MOI, IL VOULAIT DIRE : ELLE M'AIME ENCORE UN PEU, ÇA VAUT LA PEINE DE NE PAS CRAQUER.

ENFIN, IL VOULAIT DIRE LE CONTRAIRE DE CELUI QUE TU AVAIS EN ENTRANT...

JE SUIS DÉSOLÉE, MICHEL...MAIS...

TE FATIGUE PAS, VA !

TU VEUX REPRENDRE QUELQUE CHOSE ?

JE N'AI PAS REVU MICHEL DEPUIS PLUS D'UN MOIS, ET MALHEUREUSEMENT, AUCUNE NOUVELLE DE FRANÇOIS. LE COMMISSAIRE FAIT TOUT POUR ME RASSURER SUR UNE ÉVENTUELLE ÉVASION OU UNE HYPOTHÉTIQUE LIBÉRATION...

... IL Y MET UNE CONVICTION INVERSÉMENT PROPORTIONNELLE AU PEU DE CRÉDIT QU'IL Y ACCORDE. LES JOURS PASSENT, ET IL N'Y A PLUS QU'HUGUETTE POUR SE RISQUER À QUELQUES VERSIONS OPTIMISTES !...

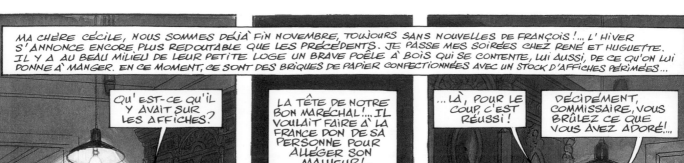

MA CHÈRE CÉCILE, NOUS SOMMES DÉJÀ FIN NOVEMBRE, TOUJOURS SANS NOUVELLES DE FRANÇOIS !... L'HIVER S'ANNONCE ENCORE PLUS REDOUTABLE QUE LES PRÉCÉDENTS. JE PASSE MES SOIRÉES CHEZ RENÉ ET HUGUETTE. IL Y A AU BEAU MILIEU DE LEUR PETITE LOGE UN BRAVE POÊLE À BOIS QUI SE CONTENTE, LUI AUSSI, DE CE QU'ON LUI DONNE À MANGER. EN CE MOMENT, CE SONT DES BRIQUES DE PAPIER CONFECTIONNÉES AVEC UN STOCK D'AFFICHES PÉRIMÉES...

QU'EST-CE QU'IL Y AVAIT SUR LES AFFICHES ?

LA TÊTE DE NOTRE BON MARÉCHAL !... IL VOULAIT FAIRE À LA FRANCE DON DE SA PERSONNE POUR ALLÉGER SON MALHEUR !...

...LÀ, POUR LE COUP, C'EST RÉUSSI !

DÉCIDÉMENT, COMMISSAIRE, VOUS BRÛLEZ CE QUE VOUS AVEZ ADORÉ !...

MA CHÈRE JEANNE, J'ENTAME MA NEUVIÈME SEMAINE DANS CET ORPHELINAT. JE CROYAIS AIDER CES ENFANTS, CE SONT EUX QUI ME REDONNENT GOÛT À LA VIE. ILS SOUFFRENT EN SILENCE ET S'AMUSENT BRUYAMMENT, ET BIZARRE-MENT, PLUS ENCORE QUE LEURS SANGLOTS ÉTOUFFÉS SOUS LES COUVERTURES, LES CRIS JOYEUX DE LEURS GALO-PADES OU LEURS RIRES ESSOUFFLÉS D'UNE BATAILLE DE BOULES DE NEIGE ME FONT MONTER LES LARMES AUX YEUX !

...SUR CE PLAN, JE FAIS QUELQUES PROGRÈS. J'ARRIVE À REGARDER LA PHOTO DE JULIEN SANS FONDRE EN LARMES, JE PARVIENS MÊME À FINIR MES PHRASES QUAND JE PARLE DE LUI...

MA CÉCILE, MON MORAL EST AU PLUS BAS! JE NE PASSE MÊME PLUS MES SOIRÉES, CHEZ RENÉ. DANS TA DERNIÈRE LETTRE, TU PARLAIS DE LA NEIGE QUI ÉGAIE LES YEUX DE L'OR-PHELINAT. ICI, ELLE TOM-BE ÉGALEMENT, MAIS C'EST UNE NEIGE DE MISÈRE QUI POUDRE LES FILES D'ATTENTE...

JE T'ÉCRIS DU FOND DE MON LIT, EMMITOUFLÉE DANS TROIS CHANDAILS QUI M'AIDENT SINON À AVOIR CHAUD, DU MOINS À TENIR LE FROID À DISTANCE... IL FAIT MOINS QUATRE PRÈS DE LA FENÊTRE... COMBIEN FAIT-IL EN ALLEMAGNE ?

HIER, DANS LA PHARMACIE, UN ANCIEN PRISONNIER ÉVOQUAIT LA CONDITION DES DÉPORTÉS QU'IL CROISAIT SUR LES CHANTIERS. PUIS IL S'EST TU, SA TOUX SÈCHE CLOUAIT LE SILENCE, L'ÉMOTION FAISAIT TREMBLER SES MAINS, IL N'ARRIVAIT PAS À REPRENDRE SA MONNAIE... COMMENT ESPÉRER REVOIR FRANÇOIS...?

MA PAUVRE CÉCILE, CHAQUE PRODUIT DE PREMIÈRE NÉCESSITÉ A SA CARTE DE RATION-NEMENT AVEC SES TICKETS RENOUVE-LABLES...

117

... L'ESPOIR DEVRAIT AVOIR LA SIENNE.
C'EST CELLE QUI MANQUE LE PLUS.

LAISSE TOMBER!...
IL EST, DÉJÀ
EN SUISSE!...

FIN

Illustre Gibrat

Interrogez les gens dans la rue, vous leur dites : « Hé, vous, là, venez voir un peu ! » Vous le constaterez, nombreux sont ceux qui pensent que parfois, dans les BD, les phylactères encombrent la case. Surtout quand l'image est riche. On devrait, par un système, pouvoir parcourir l'album une fois avec les textes pour connaître l'histoire, puis une autre fois sans les bulles. On n'imagine pas des bulles dans un tableau de la Renaissance. Dans *Hara Kiri*, Gébé et Choron ne se gênaient pas, en leur temps, pour leur série intitulée *L'art vulgaire*. Ils faisaient dire des obscénités aux personnages des tableaux et sculptures anciennes, mais c'étaient des voyous. Pas un exemple à suivre. J'ai sous les yeux un tiré à part d'une planche de Gibrat, du superbe Gibrat d'aujourd'hui, je ne l'imagine pas entachée de bulles, quand bien même seraient-elles rectangulaires. Néanmoins je vous engage à vous plonger dans cet album. Je vous y engage alors que vous en sortez, mais une postface, c'est pour dire que vous avez bien fait de vous intéresser à l'œuvre. J'ai fait la connaissance de Gibrat dans les bureaux des Éditions du Square. Je collaborais à *Charlie Hebdo* et à *Hara Kiri*, et *BD l'hebdo de la BD* venait d'être créé. Jean-Patrick Manchette en était le rédacteur en chef. On recrutait des dessinateurs. Et le directeur, Georget Bernier – il s'appelait Georget à l'état civil, je me suis toujours demandé si c'était un prénom qui existait déjà ou si ça venait de ce que les correcteurs appellent une coquille. Georget semble être le masculin de Georgette qui est le féminin de Georges. Je me le suis demandé parce que ça m'est arrivé, mon prénom s'écrit Jackie, ce qui est féminin pour les Anglo-Saxons. Habituellement les Jacky sont des Jacques pour l'état civil. On m'a déclaré directement sous le prénom de Jackie parce que l'employé de la mairie l'a

orthographié de cette façon. C'est intéressant, n'est-ce pas ? Oui, parce qu'il faut bien le dire : combien y a-t-il eu de postfaces ennuyeuses où il n'est question que de l'artiste et jamais de moi ?

Georget Bernier, alias le professeur Choron, m'a dit : « Un jeune est venu avec son carton sous le bras. Il s'appelle Gibrat. Il est bon mais il lui faudrait un scénariste. » Avec Gibrat, on s'est tout de suite bien entendu. Ça fait trente ans et ça tient toujours. Pas comme vos couples bancals. Par son impressionnant tirage, un magazine spécialisé dans le skate-board avait interpelé Choron, patron de presse toujours aux abois. Il nous a dit : « Ce serait bien qu'il y ait du skate-board dans votre truc. » Le rêve commercial de Choron ne nous a pas posé de problème. On s'est lancés dans une histoire d'adolescent – Goudard – d'une famille modeste rêvant de planche à roulettes. Trop cher pour cette famille. Mais le père qui est bricoleur décide de lui fabriquer un skate-board. Il va lui falloir supporter les ricanements de ceux qui en possèdent un vrai, un manufacturé. Ces choses existent. Récemment une amie a déménagé avec toute sa famille parce que ses enfants fréquentaient une école dans un secteur cossu où les gosses, pour la plupart fils ou filles de commerçants, se pointaient avec tout un luxe arrogant de fringues, de montres et de gadgets qu'elle ne pouvait et ne voulait leur offrir.

Gibrat était fasciné par les illustrations de Norman Rockwell dans le *Saturday Evening Post*. Il voulait y tendre, tout comme je tends moi, vers la sainteté mais sans prétendre y parvenir. Et je me dis, Gibrat et moi, sur les cimes sans prendre la grosse tête, c'est ça qui est fort, mais on cause, on cause, et voilà qu'il est l'heure ! C'est votre faute, vous me laissez faire.

JACKIE BERROYER

DU MÊME AUTEUR

GIBRAT

AIRE LIBRE
Le sursis (2 tomes et intégrale)
Le vol du corbeau (2 tomes et intégrale)

en collaboration avec Durieux :
Les gens honnêtes (3 tomes)

AUX ÉDITIONS ALBIN MICHEL
en collaboration avec Leroi :
Pinocchia

AUX ÉDITIONS AUDIE
dans la série Goudard et la Parisienne,
en collaboration avec Berroyer :
C'est bien du Goudard

AUX ÉDITIONS BAYARD PRESSE
dans la série Médecins sans frontières,
en collaboration avec Vidal :
Missions en Afrique
en collaboration avec Leguyer :
Missions au Guatemala
scénario de l'auteur :
Missions en Thaïlande

AUX ÉDITIONS DARGAUD
en collaboration avec Pecqueur :
Marée basse
dans la série Goudard et la Parisienne,
en collaboration avec Berroyer :
Visions futées
La Parisienne
Goudard et la Parisienne
Goudard a de la chance
… Goudard et la Parisienne !
Les années Goudard (int.)

AUX ÉDITIONS DU SQUARE
dans la série Goudard et la Parisienne,
en collaboration avec Berroyer :
Dossier Goudard

AUX ÉDITIONS FUTUROPOLIS
Mattéo (tomes 1, 2 et 3 et intégrale)

AUX ÉDITIONS SYRROS
en collaboration avec Aubert :
Ciudad Guatemala
en collaboration avec Combesque :
Drogue : aux deux bouts de la chance

Cet ouvrage bénéficie d'un tirage de tête numéroté de 1 à 777 exemplaires.
Il est enrichi d'un dessin inédit, signé par l'auteur et imprimé
sur du Rives Shetland blanc Naturel 250 g.

D/2015/0089/233
ISBN 978-2-8001-6567-7

AIRE LIBRE
www.airelibre.dupuis.com

Maquette : Philippe Ghielmetti

D/2015/0089/230
ISBN 78-2-8001-5781-8
© Dupuis, 2015.
Tous droits réservés.
Imprimé par Stige en Italie.